'A' CHALLAIG SEO, CHALL Ò'

Màrtainn Mac an t-Saoir

SGRÌOB

Sgeulachdan anns a bheil càirdeas is dòchas, spionnadh agus fealla-dhà; stòiridhean le manaidhean is plàighean, eucoir agus draoidheachd.

Tog aon dhiubh seo agus gabh sgrìob gu saoghal tarraingeach, dìomhair a tha stèidhichte san latha an-diugh, san linn a dh'fhalbh no ann an linn nach fhacas fhathast.

Eadar bailtean mòra na dùthcha is eileanan beaga na Gàidhealtachd, tha caractaran òga a' gabhail an sgrìob fhèin a dh'ionnsaigh co-dhùnadh no ceann-uidhe, toradh no buannachd.

Sreath de nobhailean ùra do luchd-leughaidh eadar 10 is 14 bliadhn' a dh'aois.

Air fhoillseachadh ann an 2014 le Acair Earranta,
An Tosgan, Rathad Shìophoirt, Steòrnabhagh, Eilean Leòdhais HS1 2SD

www.acairbooks.com
info@acairbooks.com

info@storlann.co.uk
www.storlann.co.uk

Na dealbhan còmhdaich le Catriona MacIver
An dealbhachadh agus an còmhdach le Mairead Anna NicLeòid
An suaicheantas airson Sgrìob air a dhealbhachadh le Fiona Rennie

Gheibhear clàr catalogaidh airson an leabhair seo
bho Leabharlann Bhreatainn.

Clò-bhuailte le Nicholson & Bass, Èirinn A Tuath

Tha Acair a' faighinn taic bho Bhòrd na Gàidhlig.

ISBN/LAGE 978-0-86152-550-8

CLÀR-INNSE

Buidheachas

Bu thoigh leam taing mhòr a thoirt do Choinneach Peutan agus a bhràthair, Calum Antonaidh, a thug deagh thòrr fiosrachaidh dhomh air mar a tha A' Chullaig ga cumail an Staoinebrig, Uibhist a Deas. 'S ann aig an athair, Calum Eàirdsidh Choinnich nach maireann, a chuala mi cuid dhen dualchas seo an toiseach. Guma fada beò a bhios 'An Oidhche Mu Dheireadh Dhen Bhliadhna' sa bhaile sin is gun lasar às ùr i le sunnd ann an àiteachan eile!

Tha mi ann an comain Acair is a sgioba dhealasaich airson an cothrom a thoirt dhomh an leabhar seo a sgrìobhadh do Stòrlann Nàiseanta na Gàidhlig.

1

A h-aon, A dhà, A trì...

Mar sin, 's ann dhutsa a tha mi a' dol ga h-innse. Gu lèir! O thoiseach gu deireadh. Cha chuir thusa stad orm (*tha mi an dòchas*). Cha dèan thu magadh nas motha, mar a dhèanadh gu leòr, nan toirinn dhaibh an cothrom: feadhainn nach fhaic is nach fhairich ach an rud a tha fon sròin! Dè am feum do dhuine feuchainn? Ach bha thusa riamh cho math air èisteachd. Riumsa co-dhiù.

Ach carson? Agus an-diugh? Nuair nach do rinn mi dad idir mu dheidhinn thuige seo; nach do dh'iarr mi facal a leigeil asam?

Eagal ma-tà. Agus mathanas.

Chuir na thachair eagal dearg mo bheatha orm, agus *mar* a thachair e.

Ach an t-eagal as motha a th' orm a-nise, nam shuidhe (*gu sàbhailte?*) nam sheòmar-cadail an Dùn Èideann, 's e, gun ith e mi, mura faigh mi cuidhteas e. Sluigidh e gu slàn mi, tha teans'! No rudeigin glè choltach ris!

Is am mathanas? *The forgiveness?* Gun urrainn dhòmhsa a-nise sin a thoirt dhutsa. Le sin, tha mi deònach mathanas iarraidh ortsa, gur e rud bochd do phreusant bhuam am bliadhna: sgeul - no cunntas - sin e.

Is thusa 50 an-diugh. 'Oh dear', chagradh cuid a dhaoine - tidsearan nam measg - gun rathad aca air coimhead orm fhathast, na gealtairean! 'Oh dear, dear, dear!' dh'èighinn fhìn riutha, nan glacainn iad. Ach leis an fhìrinn innse, tha mi air fàs cho cleachdte rin cleasan, 's gu bheil mi coma dhiubh. Chan ann dhìotsa, ge-tà. Chan fhàs mi coma dhìotsa gu bràth.

Leis gur e sgrìobhadh seach bruidhinn a tha seo, tha mi a' faireachdainn gum bu chòir dhomh, air adhbhar air choreigin, 'sibh' is 'sibhse' a thoirt ort. Ach cha toir, a chionn chan e sin idir thusa, no mise riutsa. Agus ged a rinn mi deagh oidhirp, cha tèid an stòiridh seo air gin de m' innealan: fòn-làimhe; lap-top; I-pad Dhadaidh (*an truaghan!*). 'S ann fuar - innealach (!) - a tha iad uile, a dh'aindeoin snas!

Mar sin, 's e am peann a bhios ann - am fear nach breugnaich. Fear math dubh, ùr nach dèan brochan dhem bhriathran, is nach bi a' call inc (tha iad ag ràdh), nam phòcaid. (*BTW, cha tàinig piseach air an lèine gheal ud a fhuair sinn sa Fort son banais Sam is Rudi! Robh thu 'n dùil gun tigeadh?*)

Agus, chan urrainn dhomh gealltainn gun tèid mo sgeul a sgrìobhadh cho math seo a h-uile turas. Tha mi a' dèanamh m' fhìor dhìcheall an-diugh rudan fhaighinn ceart, ceart. 'S dòcha gu bheil mi ro dhraghail mu gach facal - gun lean iad uile a chèile, mar bu chòir. Ach, tha mi an dòchas, mar as trice, nuair a nì mi suidhe an tacsa dà chluasaig, is a chuireas mi pìos beag a bharrachd rithe seo, gur ann as coltaiche ri còmhradh a dh'fhàsas i, is gun tig sinne nas fhaisg' air a chèile ri linn.

Am bi iad a' seinn far a bheil thu? Fhios agad, fhuair mi mi fhìn a' gabhail òran fon fhrasair an latha roimhe - am fear ùr aig Bruno Mars. A' chiad triop bho ghabh mi 'An Ròs' dhut fhèin sa ghàrradh bhrèagha ud air cùl do thogalaich. Faireachdainn neònach a bh' ann - ach laghach, tha mi a' smaointinn. Cha robh mi ag iarraidh sgur dheth, ach bidh an Àrd-sgoil a' tòiseachadh aig 0840. Mar sin, b' fheudar dhomh mi fhìn a thiormachadh cho luath 's a bh' agam. Chroch mi an searbhadair (phaisg agus chroch mi e!) air an rèile - air beulaibh an teasadair! Bhiodh tu moiteil asam. 'S mi a bhios a' dèanamh an deagh thòrr charan a-nis, mum faigh mi mo dhonas leis nach do rinn! Cuid ge-tà, cha bhi! Chan urrainn dhuinn uile a bhith *perfect*. Seall Beurla a-rithist. Na cuir a' choire air leisge Dad!

Mi fhìn a tha a' taghadh m' fhaclan. Mar sin...

'A Mhìcheil!' tha thu a-nise ag èigheach, d' aodann cho dearg ri partan sa phrais. 'Gu leòr! Dè th' agad ri ràdh rium? Nach inns thu dhomh, a ghaoil? Cà 'n robh thu? Dè idir a thachair?'

2

An seachdamh là is na 'Raa'

Am Barraigh - 's ann a bha mi. Ach chan ann an taigh Granaidh. Ach thig mi chun a sin fhathast. Feumaidh mi an rud innse dòigheil dhut. A' tòiseachadh san àite cheart. Tuigidh tu fhèin sin. Bidh tu daonnan ag ràdh rium gun leum a-staigh ann am meadhan seanchais nach dèan duine nàdarra bun no bàrr dheth.

'S e feasgar Didòmhnaich a th' ann, an Dùn Èideann, mu cheithir mìosan o dh'fhalbh thu - ceithir mìosan, trì latha agus sia uairean!

Tha i a' dèanamh fìor dheagh latha a-muigh, ach tha an dithis againne fhathast am broinn an taighe - Dad, a' siubhal shianalan air TV an rùm-teaghlaich, feuch am faigh e rud a chumas aire nas fhaide na còig mionaidean. Dhèanadh ball-coise sin, nam biodh gèam deusant air, ged a b' ann dìreach airson teans a thoirt dha speuradh ri cluicheadairean an dà thaoibh. Air coimpiutair na studaidh a tha mise, a' coimhead Dr Who, am fear a chaill sinn an oidhche ron a sin - 'Meacanaig na Mìos!' ag obair anmoch an Kisimul Kars! *What's new?*

Tha na creutairean seo, *'Na Raa'* - aig nach eil gas gruaig air an cinn rocach mhòra - an impis An Doctor a ghlacadh. Tha *cardiotransmographer* aca a chuireas cridhe duine ann, agus mar sin, a leigeas leotha san a mharbhadh. 'S e seòladair o linn *Bhictòria* a dh'fheumas an cridhe aige san a thoirt seachad.

Cluinnidh mi am fòn san uinneig. Cha robh i a-nist a' dol a leth cho tric, seach aig an toiseach - *robh an dithis againn ceart gu leòr - 'are you coping'?*

'Tog siud' èighidh Dad rium.

Cha fhreagair mi esan no am fòn. Tha am fear as gràinde dhe '*Na Raa*' a-nist air broilleach an duine bhochd fhosgladh! Cumaidh am fuaim air, ge-tà, ga dhèanamh nas duilghe dhomh a bhith cinnteach. Bheil a chridhe-san a-nise ann an corp an Dr, is ma tha, carson nach eil e a' tuiteam marbh san spot? Ach cha bhi, daonnan, am bi? Gu tric, bidh daoine a' dol sìos beag air bheag: is chan eil air ach a bhith a' feitheamh.

'An tog thu am bleigeard rud a tha siud?' Èighidh esan - a' tighinn na ruith a-staigh dhan studaidh is a' cur *volume nan speakers* agam (againn tha fhios!) fada sìos. Ach tha fuaim na fòn air stad cuideachd - rud a bhiodh air sìth fhàgail san àite, mura b' e anail Dhadaidh, a tha na uchd.

''N e nach eil thu airson bruidhinn ri Granaidh?'

'Chan e!' Canaidh mi. 'S e an fhìrinn a th' ann. 'S toigh leam a bhith a' còmhradh rithe fhèin is Seanair. Ged is e iadsan a bhios a' dèanamh a' chuid as motha dhen bhruidhinn na lathaichean seo!

'Carson nach freagradh tu am fòn ma-thà?'

'A chionn 's nach e Granaidh a bh' ann.'

''S i! Bidh i daonnan a' fònadh Didòmhnaich'

'Cha bhi,' agamsa 'Cho tràth seo!'

Tha an *sonic-screwdriver* aig an Doctor ga dheagh chur an sàs. *Yes*!

Spìonaidh Dad am fòn far na creathail is feuchaidh e 1471. Thig blìonas air aodann. Mar a tha làn-fhios agad, chan eil sìon nas fheàrr leis na bhith ceart. Putaidh e '3' is nuair a chluinneas e an t-seirm, sìnidh e dhòmhsa i, is coisichidh e a-mach às an studaidh. Mise daonnan a thèid an toiseach a-nist. Nuair a thig Dad air às mo dhèidh, cha bhi aige ach, "*Shin sibh ma-tà - tha sibh gu math air fad, a bheil? Gheibh mi ur naidheachdan o Mhìcheal. Tha! Tha e ok.*"

Tha greis mun togar aig a' cheann eile i.

'Hi Ghranaidh!' canaidh mise, is mi a' feuchainn ri a bhith sunndach dhi.

'A' Challaig seo, Challaig seo, Chall Ò, Chall Ò!' glaodhaidh guth domhainn garbh slaodach air ais.

'*Sorry?*' Cha do thuig mi facal.

'A' Challaig seo, Chall Ò!' a-rithist.

An uair sin, tòisichidh an lachanaich shalach is a' chasadaich. 'Cuir air am bodach!' èighidh e. 'Am bodach! An-dràsta fhèin!'

'Dad!' èighidh mise. 'Tha cuidegin ag iarraidh bruidhinn riut.'

'Aidh, aidh, Iain,' aige fhèin mu dheireadh. 'Air chèilidh? 'S ann dìreach! Tapadh leatsa: cor olc an t-saoghail, eh? *Pause.* Bheil mo mhàthair a sin, Iain? Chan eil? M' athair? Tha mi an dòchas nach bi iad fada gun tighinn!' Tha Dad a' caogadh a shùilean 'Dè? Oidhche Challaig? Tha, cuimhne oirre. Feumaidh mi falbh!' Buailidh e am fòn air a' bhòrd.

'Ìochdad, a Mhìcheil! Mura bheil an trustar ud, Iain Eachainn, a' falbh air feadh an taigh' aca!'

'S fhada o nach fhaca mi cho draghail e: sruth fallais às; glug àraid na chainnt; ìnean a' falbh gu a bheul.

'Feuch Fiona,' molaidh mise.

'Cò?'

'Shuas an rathad. Bidh i a' dèanamh Tai-Kwon-Do!'

'*Nighean A' Wrangler?* 'M bi?' Tòisichidh Dad a' bruthadh phutain son *Directory Enquiries*. 'Dè idir an cinneadh a th' aice. *Campbell, MacKinnon?*

'Cò aig tha fhios. Seo!' Bheir mi dha m' fhòn-làimh' is àireamh na tè chòir, a thug dhan Tràigh Mhòir an-uiridh mi, a' seirm gu snog.

''N tu tha siud, Fiona?' Cluinnidh mi bloigh faothachaidh na ghuth, 'Anndra Mhìcheil a th' ann. Ciamar a tha na casan?'

3

Fiona is Iain Eachainn

A dhà mhath oirre fhathast, a rèir choltais, is iad air chomas a toirt a thaigh mo sheanar is mo sheanmhar sa bhad. Agus gu dearbha cha b' fheudar do Fiona, 'Nighean (nist mu 48?) a' Wrangler', mòran às an àbhaist a dhèanamh leotha airson dèiligeadh ris an fhear a bh' ann.

'Shaoil le Iain Eachainn,' arsa ise an ceann trì chairteal na h-uarach (am fòn air *loudspeaker*) 'gun tadhaileadh e - gun robh greis o nach fhaca e do phàrantan - is nuair nach robh iad a-staigh, thuig e gur ann san eaglais a bhiodh iad. Dè b' fheàrr a chòrdadh riutha ma-tà a' tighinn aiste, ach cupa tì is sgon'-buntàta fon ghril? Bidh e a' dèanamh sin. Mar threat do dhaoine. Nuair a gheibh e cothrom.'

'Aidh, leis a' bhiadh aca fhèin! San taigh aca fhèin! Agus gun chead aige-san a bhith ann!' dh'èigh Dad, ged nach leigeadh e leas. B' urrainn do Fiona a chluinntinn gu math. B' urrainn agus do sgìre Liberton air fad.

'Chan eil cron sam bith ann, Anndra. Chan fhalbhadh Mac Eachainn Ruairidh le sgath.'

'Chan fhalbhadh, o nach fhaiceadh e puins, an dèidh dha an taigh a chur na theine!'

Rinn Fiona gàire ri seo. Gàire a dh'inns dhòmhsa gun robh i a' smaointinn gun robh cus uallaich air Dad, no gun robh e air dìochuimhneachadh mar a bha daoine sna h-eileanan.

'Is gu dè thuirt a' chailleach is an tòn mhòr aigesan an siud roimhpe sa chidsin?'

'Agus mo thè-sa!' aig Fiona le giogail nighinn bhig. 'Iain, a luaidh,' arsa ise. 'Bu ...' chòir dhut a bhith air pacaid ùr fhosgladh.

Bha na sgonaichean a dh'usaidich thu, car faisg air an deit." Ach chòrd an tì rithe, agus rid athair. Ghabh e dà chupa.'

'Rinn i gàire eile. 'Bhruidhinn iad air a' Challaig. Tha rud aig lain mu deidhinn an-dràsta. Carson a chaidh i à bith ann am Barraigh is a dh'fhan i beò an àiteachan eile?'

'Dè a-nist a tha thusa ris?' thilg e ormsa, an dèidh do Fiona falbh. Am fòn air ais nam dhòrn.

'Feuchainn Granaidh?'

'Fàg iad. Fònaidh i fhèin nuair a tha i air gàirdeanan is casan a chur air an sgeul. Chan fhuiling mi an-dràsta i. Bidh am fear ud fhathast ann an sin co-dhiù.'

'Ag ithe sgonaichean ùra,' arsa mise.

'Dìreach!'

'Cò th' ann an lain Eachainn Ruairidh co-dhiù, Dad?'

'Fear à Barraigh.'

Thuig mi sin. 'Cò am pàirt?'

'Tobh.'

'Bheil e laghach?'

'Chan eil *really*.'

'Bheil e grànda?'

'Cha chanainn sin a bharrachd.'

'An toigh le Granaidh is Seanair e?'

''S toigh! Well, cuiridh iad suas ris.'

'Saoil, Dad, dè bhiodh Mam air a ràdh, nan robh i air tighinn dhachaigh an-diugh o na bùithean is *srainnsear* na sheasamh ann a sheo a' dèanamh biadh dhi?'

Sàmhchair. Rud air a bheil sinn cho eòlach. Choimhead Dad a-mach air an uinneig; ma b' fhìor air an fheur a bha e a' dol a ghearradh o chionn cola-deug, agus an t-seachdain sa chaidh, is a dh'fhaodadh e a ghearradh an-diugh fhathast nan togradh e – i na turadh fad trì latha. Chan eil fhios a'm, am faca e idir an fheòrag a leum far na craoibh-chaorainn, is a thug leatha am biadh a thuit air an eun bheag ghlas. Cha tuirt e guth, ma chunnaic.

'Ach chan e srainnsear a th' ann an lain Eachainn.' Chùm mise orm a' feuchainn ri cothachadh an aghaidh na sàmhchair. Sìon ach an t-sàmhchair ud. An dithis againn balbh. Anail-san is fàileadh anail is a cholainn air an dèanamh cus nas làidire na bha iad - na tha iad. Chan e duine nach nigh e fhèin a tha ann an Dad, cha deach e bhuaithe idir mar sin. Ach bheir an t-sàmhchair ghrod ud a h-uile sìon am bàrr.

'Tha Fiona èibhinn, nach eil, Dad? Nì i deagh atharrais air guth Granaidh. Tha mi a' smaointinn gu bheil dà *bhlack-belt* aice. Mura bheil a trì. Dad, dè an rud a th' anns a' Challaig?'

'Innsidh mi dhut uair eile, a Mhìcheil.'

4

Am mìneachadh

Rinn e sin, is sinn a' faighinn deiseil san ionad-spòrs an dèidh na sgoile Dimàirt - daoine ag èisteachd gu dlùth, feuch an ann à Lituàinia a bha sinn - mura b' ann à Poblachd nan Seic? Bha an t-sàmhchair air Dadaidh a shaoradh son greiseag eile. Chithinn beatha na shùilean. Bha blàths aca ri thoirt seachad. Roilig e an deise-snàmh is na *goggles* gu faiceallach am broinn a shearbhadair is thog e bruis. 'S ann dhan sgàthan a thòisich e.

'Bhiodh clann a' bhaile a' dol a-mach air an oidhche ron Bhliadhn' Ùir - *Hogmanay*. Oidhche Challaig a bh' againn oirre. A' Chullaig an Uibhist, saoilidh mi

- A' Challainn aig cuid eile. Saoghal eile, a Mhìcheil, seach an *commotion* gun dòigh a th' aca an-diugh air Princes St.'

'An dèidh dhi dorchnachadh, chitheadh tu eadar deichnear is còig duine deug a' siubhal tron bhaile - gillean agus nigheanan am Barraigh - an fheadhainn bu shine a' cumail sùil air an fheadhainn a b' òige. Iad a' falbh o thaigh gu taigh, nam buidheann, feuch de gheibheadh iad nam pocannan. Is dh'fheumadh sibh tadhal aig gach taigh. Is bhiodh *pàrtaidh* ann am fear aca aig deireadh-gnothaich far am biodh sibh a' roinn a-mach na fhuair sibh. Suiteis, *crisps*, measan. Bhiodh cuid dhe na seann daoine a' dèanamh bhreacagan a dh'aona ghnothach...'

Cha do chuir mi stad airson faighneachd dè bh' ann am *breacag*. Rud son ithe is cinnteach. Bha e a' còrdadh rium gun robh e a' bruidhinn ann an dòigh na b' fhosgailte, is ag innse naidheachd dhomh. Tha fhios agad fhèin cho math 's a tha e nuair a thèid a chur gu dol. Ma gheibh e èisteachd! Ach 's e glè bheag a bha e air a dhèanamh dhe leithid thuige sin, o dh'fhalbh thusa. Fìor bheagan. Thionndaidh e thugam is thog e a bhaga is mo bhaga-sa is chuir e a ghàirdean mun cuairt orm.

'Nuair a ruigte taigh, dh'fheumadh duine mu seach duan a ghabhail,' is theann e ri seòrsa de *chant* a dhèanamh. 'Tha mise a-nochd a' tighinn gur n-ionnsaigh a dh'ùrachadh dhuibh na Callaig...'

'*Excuse me.*' Dh'fhaighnich bodach maol fliuch ann an *trunks* theann – fear nach bi a' falbh às an àite sin.

'*Can I ask where you are from? I see you here quite often.*'

'Scotland' fhreagair Dad. 'And you...'

'*Whit? Same. Edinburgh of course. A wis just wondering eh...*'

Cha do ghabh Dad truas ris. Cha do dh'fhaighnich am bodach an còrr.

Dh'fhalbh sinn a-mach dhan chafaidh is dh'òl sinn *smoothie* an t-aon ann. Choimhead sinn air an dithis a bha a' cluich teanas air a' chùirt bu ghiorra dhuinn, is beagan de dh'Fharpais na Frainge air an TBh os ar cionn. Bha Andaidh Moireach fhathast air thoiseach. Ach bha tuilleadh aig Dad ri innse.

'Bhiodh aig bean an taighe, a Mhìcheil, an dèidh dhi an leigeil a-staigh, breith air a' chaisean - seòrsa de choinneal fhada dèant' air uchd na caorach - agus dh'fheumadh i an rud sin a lasadh. Bhiodh i ga chur trì turais mu a ceann. Nam fanadh an rud laiste, bha i taghta. Ach nan rachadh e às, thigeadh mì-shealbh oirre fhèin is a teaghlach air a' bhliadhna ri tighinn. Cò an t-amadan a dh'iarradh sin! Gu leòr a dhroch fhortan air tighinn oirnn am-bliadhna mar-thà, a Mhìcheil. Co-dhiù. Sin mar a bha e. 'S ann ainneamh a rachadh e às. Ach 's fhada o nach fhacas duine ga dhèanamh am Barraigh. Bha mise dìreach air a dhol dhan sgoil. Chan eil fhios a'm carson a sguir iad dheth.'

'Cha do dh'fhòn Granaidh idir Didòmhnaich!' thuirt mi, a' cuimhneachadh is a' ceangal an dà rud còmhla.

'Dh'fhòn. Ach bha thusa an dèidh a dhol innte.'

'Seadh ma-thà,' arsa mise, a' ciallachadh gum b' fheudar dha-san, mar sin, beagan obair a dhèanamh a thaobh bruidhinn seach an àbhaist. 'Ciamar a tha i fhèin is Seanair?'

'Gu fiot le chèile, a Mhìcheil. Tha iad airson gun tèid sinn thuca airson na Nollaig is na Bliadhn' Ùire.'

'Thusa ag iarraidh?' Choimhead mi gu dìreach na aodann.

'Chan eil fhios a'm. 'S dòcha nach bu chòir. Bidh e doirbh gu leòr. Cha bhiodh e faidhir air seann daoine.'

5
Ròna mo Ghràdh

Cha deach sinn a Bharraigh airson na Nollaig, ach chaidh airson na Bliadhn' Ùire. Air làithean far an robh an t-aiseag ga shìor chur air ais no ga chur dheth buileach air sgàth na droch shìde, sheòl Anndra Mhìcheil is a mhac - Mìcheal Anndra Mhìcheil (ie mise!)* - a-null agus a-nall air glag fèath.

Cha do dh'fhuirich sinn idir a-staigh airson na Nollaig na bu mhotha. Fhuair sinn fiathachadh (*air 23 Dec*) a thaigh Ròna.

Thàinig a' chlann uile dhachaigh. Rob às na Stàitean, Joanne à Glaschu agus Emily à Oilthigh Dhùn Dè.

* Tha mi caran *into* sloinneadhan is farainmean an-dràsta: Mìcheal Anndra Mhìcheil 'ic Ain Bhàin (The very only!); Iain Eachainn Ruairidh an Dùin; Nighean a' Wrangler etc. Chan fhaigh thu iad-siud idir an Dùn Èideann!

'S ann againn a bha an latha dheth. *Charades the lot* - fiù 's Dad. An creideadh tu e? Rinneadh car de *fuss* dhìomsa - leis gur mi a b' òige, tha fhios. Tha mo *chousins* cho gasta, is làn spòrs. Chì thu gum bi iad a' tarraing còmhla mar theaghlach. Chan eil fhios a'm, carson nach biomaid a' cur barrachd ùine seachad còmhla riutha. Ged a tha iad pìos mòr nas sine na mise, chan eil aig Dad ach an aon phiuthar! Cha robh sinn riamh aca san no iadsan againn air Latha Nollaig thuige sin. Carson? 'S toigh leam an duine aice cuideachd. Bha Dad is e fhèin le gu leòr aca ri ràdh ri chèile. Chan fhaic mise sgath a tha cho uabhasach neònach mu Charlie Baxter, feumaidh mi ràdh. Dìreach nach robh daoine ro eòlach air 's dòcha?

Nochd boireannach eile, caraid do Ròna - ach b' fheudar dhi falbh an dèidh *a'phudding* a dh'fhaicinn a màthar ann an dachaigh-chùraim. Alison a th' oirre. Chòrd ise rium cuideachd. Dh'fhaighnich i ceistean dhìom mud dheidhinn-sa nach do dh'fhaighnich càch. Tha i air a bhith an urra ri a màthair fad grunn bhliadhnachan a-nise, seach nach b' urrainn dhi a' chùis a dhèanamh tuilleadh.

'*She just wasn't safe, Rona,*' thuirt i, is nochd deòir mhòra, mhòra na sùilean, '*I was constantly terrified she'd fall and ...*' ach cha do chuir i crìoch air an t-seantans sin. Ghabh i nèapraig bho Dhad is thuirt i, '*Thanks,* Alasdair,' a bha caran èibhinn, ach cha do rinn duine gàire. Bha fàileadh boireannaich mòran na bu shine dhith, shaoil mise.

'An taigh a th' ann' thuirt Dad, air an rathad suas dhan bhàta. ''S e fàileadh an taighe a bha thu a' faighinn bhuaipe, a Mhìcheil. Bidh i a' fuireach ann am fear dhe na seann taighean mòra ud – taigh na caillich. Tha iad cho doirbh an cumail blàth. Ach nighean chòir.'

'Nighean?' dh'fhaighnich mise.

'Uill, boireannach, tha fhios.'

Cha tuirt duine againn smid son mionaid, is an uair sin thòisich mise, ged nach robh an t-sàmhchair idir trom, brùideil, mar a bha i air a bhith, 'Cha chreid mi nach do chòrd e ri Ròna is Charlie is iad sin, truaghan no dhà a bhith aca air latha Nollaig.'

'Bruidhinn air do shon fhèin!' aige-san is fiamh bhèo air ais na shùil - riumsa co-dhiù - son a' chiad uair o chionn mhìosan.

Tha mi an dòchas nach goirtich sìon a thuirt mi, no a chanas mi, thu. Tha mi dìreach a' feuchainn ri leigeil fhaicinn dhut mar a bha, is mar a thachair, gus an tuig thu gu ceart. 'S cinnteach gun iarradh tu gum falbhadh sgòth dhubh na sàmhchair beag air bheag. Ach chan eil sin ri ràdh nach eil daoine gad ionndrainn. A chionn, tha! Gu mòr! A h-uile latha riamh. Ach nach fheàrr a bhith ri ionndrainn ann an soillearachadh air choreigin seach dorchadas sgràthail a thacas tu.

Co-dhiù, bha sinn air an t-Òban a ruighinn, is ged a bha an dìle a' dannsa air an rathad, chaidh sinn air bòrd a' Chlansman còmhla agus le chèile.

'Cha robh mise,' arsa Dad ri fear nan tiogaidean (*Willie na Gang*) 'ann am Barraigh aig àm Bliadhn' Ùire o phòs mi.'

Chùm mi sùil gheur air. Cha do rinn e ach breith air làimh air an duine agus gluasad air adhart.

6

'Ciamar a bha do "phassage", a Mhìcheil?'

Bha am bàta a' cur fairis. Daoine nach d' fhuair oirre a cheana, a bharrachd air feadhainn a bha air cur romhpa brath a ghabhail air a' chothrom-seòlaidh mu dheireadh ron Bhliadhn' Ùir. 'S ann shuas gu h-àrd san *Observation Lounge* a dh'fheuch sinn ri àite fhaighinn. Air èiginn a fhuair sinn oisean car falaichte sa chùl: an rùm mòr air ghoil le clann bheag a' ruideanachd is a' riagail, agus a' sgreuchail.

Agus iadsan! Oir bidh iad san daonnan ann. Sa h-uile àite. Cha do dh'atharraich siud. Ciamar a dh'atharraicheadh? Bha an fheadhainn seo beagan na bu shine na mise. Mu 14, chanainn. Dh'aithnich mi fear aca on bhliadhna ud aig an Fhèis is dh'aithnich esan mise. Dè an diofar, co-dhiù! Chan fhaigh thu ach an rud àbhaisteach bho an leithid, co-dhiù chunnaic iad reimhid thu gus nach fhaca. Am pàtaran sin air a bheil mi fhìn is thu fhèin cho eòlach, ach an turas-sa - nas trice na làithean seo - bidh nighean no nigheanan ann air am feum iad gàire *cho* mòr a thoirt. Agus ma nì ise sgiamhail mar *hyena*, no nas fheàrr buileach, mar *orangutan* ro bhogsa bhananas, gheibh i duais. *App* ùr air a' fòn a dh'fhàgas slàn i. *Dodo-bird*, is dòcha, a thig a-mach is a-steach à ugh!

Dh'fhuirich iad gus an deach Dad dhan taigh-bheag. Sheas an dàrna fear air mo bheulaibh, am fear eile air mo chùlaibh. Rinn iad comharra ri càch. Coltas borb orra le cainnt churs. Chùm mise orm a' leughadh, ged a bha fhios a'm gun robh rudeigin fainear dhaibh. Aodannan mar *phancakes*.

Feadhainn nach iarradh tu itheadh gu bràth.

'Want a geam o' ping-ball, Jamie? Er a wee bat fur ye.'

Shìn am fear air mo bheulaibh a làmh gu a charaid, is thug esan bhuaithe rud nach robh innte. Dithis aca a-nise nan seasamh len làmhan ann an cumadh *bats table-tennis.*

'Aw Davie boy, a cannae believe it, av forgoat the baw.'

'Eejit!' aig an fhear eile. Is an uair sin a' cur a shròin gu math faisg air mo cheann. 'Whit a stroke a luck. There wan there! Look! Your serve, man.'

Thòisich iad ri cluich a-null is a-nall. Mo cheann, mas fhìor, na bhall aca. Chùm mise orm a' leughadh, ged a bha na faclan a' leum far na duilleig - mar a bha na h-amadain a' leum is a' buiceil mun cuairt orm. Dè bha a' cumail Dad? Bhiodh e air coinneachadh ri cuideigin air an deic. Thuirt e nach rachadh e dhan bhàr.

Bha na *pancakes* ghroda nam fallas pinc. Bha an dàir air na h-orangutans. Bhuail suaile mhòr cliathach a' bhàta is thug i leum eagalach aiste.

'See at, buddy' aig Davie gun tùr tunnaig, 'Never loss yer baw in is game!'

'Really?' bho ghuth mòr Gàidhealach agus grèim aige air an dithis aca. 'I think I would loose it pretty quickly if I were you. Thallaibh mus spad mi sibh!

'Thusa ceart gu leòr, a Mhìcheil?'

'Tha, tapadh leibh.' Bha an duine-sa cho mòr ri a ghuth.

'Cha bhi d' athair fada. Dè an rud a tha thu a' leughadh?'

Sheall mi dha.

'Math?'

'Ok.' Bha an duilleag aig an robh mi, fhathast le spotagan fliuch oirre. 'Cò sibh?' dh'fhaighnich mi.

'Iain Eachainn Ruairidh an Dùin. À Tobh.'

7

Barraich an cuideachd a chèile

'Bhiodh iad ag obair ormsa,' thòisich Iain, an dèidh dhan ghràisg teicheadh, is pacaid *Lime Tic-Tacs* aige dhomh. 'Bha mi ùine mhòr mum b' urrainn dhomh sgath a dhèanamh lem làmhan: can ball a ghlacadh, no inneal a chleachdadh no fiù 's sgrìobhadh ceart a dhèanamh. Bha e mar nach robh feum sam bith annta. Ach ma thig thusa is d' athair air chèilidh ormsa, seallaidh mi dhuibh an gàrradh-cloiche agam is a' bheing bhrèagha is na sèithrichean. Tuigidh tu an uair sin dè ghabhas ionnsachadh beag air bheag le foighidinn is misneachd is obair.'

'Ach' arsa mise, 'Cha toir gin dhiubh sin

air mo cheann-sa fàs nas motha! An toir? Tha e fada ro bheag airson mo bhodhaig. Sin mar a rugadh mi. Cha ghabh e leasachadh. 'S e *FLK* a th' annam. Is feumaidh daoine fanaid a' mhionaid a chì iad mi. Cho nàdarra ri ABC. Dhèanainn fhìn e.'

'Ach ge-tà...' arsa esan, is nochd Dad tron doras. '*Funny Looking Kid*, an e?'

''S e!'

'Chanainn, a Mhìcheil, gu bheil thu fada nas èibhinne nad nàdar na tha thu nad choltas.'

'Cheers,' arsa mise agus shuidh Dad ri ar taobh. Fàileadh shiogaraits is leann dheth, ach gun cus - *an fhìrinn*.

'Shin sibh, fhearaibh,' aige fhèin. 'Dè th' agad air a' mhenu an-diugh, Iain?'

Feumaidh mi ràdh gu bheil e car èibhinn nuair a bhios Dad an lùib nam Barrach, gu h-àraid fireannaich an aon aois ris fhèin - ged a tha Iain Eachainn bliadhna na dhà nas sine - bidh e dol nas - chan eil fhios a'm - nas eileanaiche dòigh air choreigin.

Barrachd mòr dhe na 'Dia gam shàbhaladhs!' is na 'Well, wells!' Cha mhòr nach bi e dol na dhuine nas aosta na tha e. An tug thusa an aire riamh dhan a-sin?'

Co-dhiù, leis gun do dh'fhàs a' mhuir beagan na bu chiùine, dh'fheuch sinn sìos an staidhre a ghabhail ar dinneir. Cha do dh'iarr Dad air Iain Eachainn tighinn còmhla rinn, ach thàinig e! Nochd fear eile, Jo Iagain an *Extension*, a bhios a' dràibheadh làraidh làn èisg is maoraich a-null dhan Spàinn. 'S e *Chicken Curry* a ghabh esan. Adag is tiops a ghabh an còrr againn. Cha robh an cafeteria - no an seòmar-bìdh mar a th' aca air - a leth cho trang is a shaoileadh tu, le na bha siud de dhaoine air bòrd. Bha i dubh dorcha a-muigh, is uisge trom a' dòrtadh. Dh'inns Iain Eachainn gun do dh'fhalbh e dhan Òban airson *last-minute Christmas shopping* (cha tuirt e buileach cuin!), is gun deach a ghlacadh ann an sin. An corra bhàta a sheòl, chan fhaigheadh e orra, leis gun robh iad cho làn - na bu làine, feumaidh, na an tè air an robh sinne.

'Mu dheireadh thall' ars esan. 'Thuirt mi, 'Gonadh e air a' ghòraiche a tha seo,' is thug mi taigh mo pheathar orm ann an Sruighlea. Sin far an do chuir mise seachad latha Nollaig ma-thà. Taigh snog. Ach clann bheag fhiadhaich gam chur às mo rian len ceistean, ag iarraidh cluich cuide rium, siud a dhèanamh cuide rium, is gun a dhìth ormsa ach an TBh a choimhead.'

'Ro fhada nad *bhachelor*, Iain' aig Dad ann an guth nach robh ro shnog, is thug e sùil car neònach ormsa. Robh esan air ais na bhachelor a-nist? Cha robh mi cinnteach.

''S ann dhan chloinn a tha an Nollaig.' Beachd fear an 'Extension. 'Nach ann? Ach tha iad air a milleadh air na neo-choirich le *commercialisation*.'

Cha tuirt duine sìon. Smaoinich mise air an latha a bh' againn ann an taigh Ròna. Cha robh e air a mhilleadh ann an dòigh sam bith. Ach nach robh thusa an sin còmhla rinn.

Fhuair sinn preusantan - fhuair mise tòrr. Ach bha rud eile ann cuideachd. Spiorad teaghlaich. Cha ghabh sin ceannach, ach tha fhios gun gabh e milleadh.

Bho thill Dad air ais suas dhan *Observation Lounge*, bha Iain Eachainn air a bhith còmhla rinn, is cha do dh'fhàg mi iad - eagal 's cothrom a thoirt dha innse do Dhad mu na balgairean. Ach ged a rinn mi sin, bha mi làn-chinnteach nach canadh e guth. Chan e sin an seòrsa fear a th' ann.

8

Air an Leideig

'S e brot ceart, bonnaich threicil, briosgaidean teòclaid is tì 'garbh fhèin làidir' (mar a chanadh Ms NicÌomhair) a bh' air menu Granaidh nuair a nochd sinn a-staigh an doras còig mionaidean mun robh còir aig a' bhàta a bhith air ceangal ris a' chidhe. Sin an rud as toigh leam mu Bhàgh a' Chaisteil, is An Leideag, tha a h-uile sgath cho deiseil (*seach handy!*). Faodaidh tu coiseachd bho A gu B, is ma tha thu fortanach, ruigidh tu B mum fàg thu A. Seòrsa dheth!

Bha thusa riamh cho dèidheil gum biomaid ann an àiteachan na b' iomallaiche.

Shìos sa cheann a tuath, no thall am Bhatarsaigh, far an sèideadh èadhar ghlan far a' chuain mhòir a-staigh nad sgamhain, is far nach tigeadh duine beò nad àrainn son ceistean a chur, no rudan iarraidh ort nach robh nad chomas no nad mhiann a dhèanamh. Robh mòran dhiubh sin ann? Dè an rud a bu duilghe dhut? Am b' urrainn dhòmhsa a bhith air do chuideachadh na b' fheàrr? Ciamar a bha Dad, nuair nach robh mise mun cuairt? An do bhruidhinn thu barrachd ris-san mu ghnothaichean, no an robh e a' cheart cho furasta dhut gun?

Gu dearbha fhèin, cha robh sìon a dhìth bruidhinn an taigh Granaidh: mar a bha mise air fàs - cha tug iad guth air a' cheann, a tha air fàs, tha fhios, beagan; an t-sìde a bha an dèidh a bhith aca. 'Seachdainean is seachdainean de dh'uisge. Tha mi ag innse dhut, Anndra. Cha mhòr gum faca sinne a' ghrian bho dheireadh na Sultain!' aig Seanair; agus bho Ghranaidh: na bha a' dol aig clann Sheumais; an fheadhainn aig Ruairidh is Annabel; Dòmhnall ann an Cille Mheàrnaig - chaill e obair; am bèibidh ùr aig an nighinn aig an nighinn aig Agga - a rugadh tràth is a b' fheudar a chur air falbh air Air Ambulance gu Yorkhill - is a thill le galar air choreigin is a b' fheudar a chur air falbh a-rithist is a thill an dàrna trup cho sona ri bròig is ag ithe is a' cadal is a' cur air cudrom; agus an cupall ùr shìos an rathad - Clive is Gillian, cho math is a tha Barraigh a' còrdadh riutha. Tidsear a th' ann san. Bidh ise a' dèanamh rudeigin le IT. 'Agus chunnaic sibh Ròna,' arsa ise, gun an còrr a chur ris ach sin fhèin.

'Ceithir bliadhna ma-thà', thuirt i mu dheireadh, bho nach robh sinn air fuireach còmhla riutha. 'Ged a bha sibh am Barraigh on uair sin!' Cha robh for agam gun robh e cho fada sin. Thàinig thusa an turas ud, nach tàinig?

Cha tuirt Dad, ach gun robh an ùine buailteach falbh cho luath. Rud nach do dh'aidich mòran, ach a tha fìor gu leòr, is nam b' urrainn dhomh, ghabhainn grèim oirre siud: tìm. Dhèanainn sin, ma-thà, is theannainn ri a rothaigeadh air ais beag air bheag air bheag, is cha leiginn leatha a dhol seachad air àm sònraichte. Chan e nach fhàsamaid uile suas mar bu chòir, ach dh'fhuiricheadh tìm.

Chaidh an dithis againn a chur dhan rùm 'bhuidhe', a tha a-niste liath, ach a bha buidhe (*'mar Jaundice!*) 'fad mu leth-bhliadhna', nuair a bha Dad is a bhràithrean òg is a' cadal ann. Peant ùr a bha san fhasan aig an àm, a bu chòir *a deep sun-spilled finish* fhàgail air na ballaichean, ach an àite sin a chur a' bhuidheach orra.

Nam laighe nam leabaidh - an leabaidh Sheumais - ri taobh na h-uinneig, dh'fhairichinn mi fhìn a' carachadh suas is sìos, mar gum bithinn fhathast a' seòladh. Cha mhòr nach toirinn orm fhìn èirigh far a' bhobhstair is tilleadh air ais sìos. B' iad na cuibhrigean ma b' fhìor a bha gam chumail bho bhith a' dèanamh sin. Bha mo bhrù làn gu sgàineadh.

'Cha robh còir agaibh, a mhàthair! Nach tuirt mi ribh gun itheamaid air a' bhàta?' on fhear nach do dh'fhàg grèim air a thruinnsear, is a bha a-nise na laighe, na leabaidh fhèin, agus srann às a bhiodh na chunnart do shoitheach ann an ceò.

Dhùin mi mo shùilean is chithinn thusa -sinne- ann an àite-cluich air choreigin - North Berwick is dòcha. Bha thu gam *swing*eadh suas is sìos is a-null a-nall is an uair sin timcheall, timcheall air *roundabout*. Is b' fheudar dhomh an uair sin mo shùilean fhosgladh, oir bha tuainealaich air tighinn orm is mo stamag a' tionndadh beagan. Ach chithinn fhathast thu nad shuidhe a-nist aig oir na pàirce, gàire brèagha air d' aodann is leabhar tana bàrdachd na do làimh.

B' e sin an ìomhaigh mu dheireadh an oidhche sin. Tè gu math snog cuideachd - mun do nochd Seanair le cupa tì is ceist. 'A bheil a h-aon agaibhse dol dhan eaglais?'

'Carson?' aig Dad 'Tha an Nollaig seachad.'

'Ged a bhitheadh. 'S e Didòmhnaich a th' ann.'

'Saoil an e?' Aig Anndra Mhìcheil Iain 'ic Ain Bhàin. Mun do roilig e air a thaobh clì tòiseil a-rithist.

9

A' dol dhan eaglais

Cha toigh leam an eaglais ann an Dùn Èideann. Tha làn fhios agad air a sin. Chan eil mi a' faireachdainn gu bheil an sagart ud ag innse na fìrinn - nuair a bhios e ag iarraidh ort rudan a dhèanamh nach dèanadh esan. Chan urrainn dhomh creidsinn gu bheil esan a' dol às aonais mòran airson clann bhochd ann an Afganastan is Iraq, can. Taghaidh iad an fheadhainn mu bheil iad ag iarraidh dragh a ghabhail, is fàgar an còrr. Cuideachd, bhiomaid a' dol innte cho ainneamh is gun robh mi daonnan a' faireachdainn neònach - daoine a' coimhead orm, mar a bhitheas, - snodha bheag làn co-fhaireachdainn air an aodann. 'Seall an gille beag bochd ud a-rithist leis a' cheann mheanbh. 'S cinnteach g' eil rudan eile ceàrr air cuideachd. 'S dòcha nach fhaigh e air tighinn dhan eaglais ro thric air tàilleamh a shlàinte'. Is tha fhios a'm gun do rinn thusa oidhirp ('s tu an aon duine a rinn!) mo thoirt a ghrunn dhiofar àiteachan – (dè chanas mi?) creideimh. Ach cha do dh'fhairich mi aig an taigh annta sin a bharrachd. Gu h-àraid am fear sam feumadh tu seòrsa de aerobics a dhèanamh: *Jumpin fir Jesus!* Na daoine ud ag èigheachd a-mach an trom pheacannan. Mar am fear ud:

'I am a worthless wretch, deserving only the justest, cruelest desserts.'

'Cuimhne agad', thuirt mise, an dèidh làimh, 'gur dòcha gur e semolina a thigeadh a-nuas air?', ach gun robh thusa cinnteach gur e *strudel* nan dinnearan-sgoile agad fhèin a chuireadh às dha.

Bheil thusa a' smaointinn gun robh còir aig gille beag de naoi bliadhna a dh'aois a bhith am measg nan daoine a bha siud? Èibhinn 's gun robh e! Chan fhaca mi duine eile fo 50. 'S tusa an dàrna duine a b' òige a bh' ann.

Sin an diofar am Barraigh. Chì thu feadhainn òga - teaghlaichean- a' dol innte is tha an ceòl a' còrdadh rium gu mòr. Tha na fuinn cho brèagha - chanainn gun cuirinn 'Do Làmh, a Chrìosda' air a' bhogsa a-nist - le beagan *practice.* 'S fhìor thoigh leam ùine mar sin a chur seachad leam fhìn le Granaidh is Seanair. Bidh mi a' faireachdainn nach e a-mhàin gum buin mi dhaibh san, ach gum buin mi dha na daoine on tàinig iad cuideachd - an seanairean, is an seanmhairean a' dol air ais linntean. Tha na suiteis a gheibh thu an 'Taigh a' Bhèiceir' glè mhath cuideachd.

'Thusa a tha tighinn còmhla rinn, a Mhìcheil?' thuirt Seanair is mi a' cromadh a cheangal nam barrall air mo *Chonverse* ùr (preusant Nollaig ris nach robh dùil a'm bho Dhad).

''S mi.'

'Tha d' athair feumach air cadal,' arsa esan a' caitheamh chriomagan dha na h-eòin. 'Dèanamh cus anns a' gharaids ghrànda ud. Na laighe fad uaireannan an uaireadair fo chàraichean dhaoine eile, a shamhradh is a gheamhradh.'

'Bruidhinn air càraichean,' arsa mise. 'Dè tha sibhse a' dèanamh leis an iuchair sin ma-thà?'

Thàinig gàire gu aodann. 'Tha i gu math *chilly* a-muigh an siud, a laochain. Bidh do sheanmhair a' gearan an fhuachd.'

'Na cuir a' choire ormsa!' arsa Granaidh, a' togail is a' lùbadh coilear a còta is an fhear aigesan. 'Thugainn, a Mhìcheil. Tha an t-ogha as fheàrr leat ag iarraidh coiseachd - no co-dhiù gun coisich sinne. Tha e tràth gu leòr fhathast.'

Thog mi orm gu sunndach eadar an dithis aca - mar gun robh mi air ais nam ghille beag. Ghabh Granaidh mo làmh. Chuir Seanair a làmhan-san am pòcaidean a chòta throm, ach dh'fhuirich e gu math faisg orm air rathad caol cam na Leideig.

Latha àlainn a bh' ann - dìreach oiteag shocair far na fairge shìos fodhainn. Leis gun robh an làn cho ìseal chitheadh tu bhuat buinn nan seann sgothan air an còmhdach le bàirnich, an cladach beag am falach fo thorran de dh'fheamainn.

Bha Caisteal MhicNìll gu leòmach a-muigh sa Bhàgh mar gun robh e a' feitheamh dealbhadair - peant no camara - tighinn gu a ghlacadh san staid riochdail ud. Ach sin rud, shaoil mise, nach tachaireadh, gu h-àraid leis gun robh A' Bhliadhn' Ùr agus fìor dhroch aimsir a rèir choltais gu bhith oirnn. Agus cuideachd air tàilleamh 's nach glacar bòidhchead dhen t-seòrsa sin, ach le sùilean beò is cridhe fosgailte a thuigeas gun atharraich e uile mun can thu 'Dia leat!'

'Agus maille ribhse....' Chuala sinn on t-sluagh, 's sinn a' coiseachd a-staigh air doras eaglais "Reul na Mara".

''S e bha cliobhair gu tòiseachadh' aig Seanair na ghuth-thàmh, "A' Bhileag" ga cur na dhòrn. 'Taing, Eòs. Nach i dh'fhàs fuar. Greas ort, a Mhòrag!'

''S tusa am fear a dh'fheumadh sùil a thoirt air a h-uile gnoban eadar An Gearraidh Gadhal is Hiort!' aig Granaidh a' sireadh is a' faighinn uisge choisrisgte le a làimh dheis.

Sin rud eile as toigh leam mun eaglais am Barraigh - gum bi an aifreann uaireannan sa Ghàidhlig. An dèidh dhomh saoghal fada de faisg air 13 bliadhna a chur seachad sa bhaile mhòr, far nach cluinn mi mo chànan fhìn ga bruidhinn ann an àite sam bith taobh a-muigh an taighe is na sgoile, tha e fhathast a' cur car de chlisgeadh orm a bhith ga cluinntinn san eaglais. Bidh mi a' faireachdainn moiteil gun tuig mi na tha dol - ged a sheòlas deagh thòrr dhe na faclan fada seachad orm.

Shuidh sinn aig a' chùl air iomall triùir fhireannach - bràithrean chanainn, is chuir

G is S dhiubh am miotagan mun do chuir iad orra an speuclairean.

Leis gu bheil mo fhradharc-sa riamh air a bhith cho math - gu h-àraid an taca riutsa (*Deagh Chontacts* rim faighinn far a bheil thu ma-tà?), cha tug mi mionaid is mi a' coimhead timcheall a' choitheanail mum faca mi iad! An dithis aca (às aonais nan *orangutans*) nan seasamh còmhla.

Aig an *Ofertory*, thionndaidh Jamie mun cuairt, is san spot san do laigh a shùil orm, chuir e silidh sùbh-làir air a *phancake* is phlùc e *Daft Davie*.

'S ann air an rathad suas gu Comain a smìd esan rium - cha mhòr gum faiceadh tu e - mura robh thu ga dhlùth-sgrùdadh. A làmh bheag chlì ann an cumadh *bat table-tennis* agus brag air a chur às ùr na cheum.

Ged nach iarrainn, cha b' urrainn dhomh a stad. Chaidh mi air chrith, air ais leam fhìn air an treastaidh aig cùl na h-eaglais. Dh'fheuch mi ris an laoidh a sheinn ach thuit am pàipear orm. Gu fortanach, chan fhaca G is S sgath is rinn mi gàire beag (nearbhasach) riutha nuair a thill iad dhan t-suidheachan. Chaidh iad air an glùinean gun iomagain - ach an tè, tha fhios, a thig an cois na h-aoise, co-dhiù tha do mhac gu math no nach eil.

10

Feasgar Didòmhnaich

'Seo!' arsa Seanair, is sinn dìreach air breith air làimh air an t-sagart an taobh a-muigh dhen eaglais. 'Thalla is ceannaich rudeigin math dhut fhèin.' Shìn e £2 dhomh. 'Chì sinn air ais aig an taigh thu. Bidh *banquet* aig Dadaidh gar feitheamh.'

'*Well*,' arsa Granaidh. 'Ma nì Anndra biadh cho math ri Iain Eachainn, cha bhi sinn idir dona dheth.'

Cha robh mi ag iarraidh falbh leam fhìn eagal 's gun leanadh iad siud mi, is gum buaileadh iad mun cheann mi, seach an gèam gòrach a bh' aca air a' bhàta. Nach ann riutha a chòrdadh e – boiteag de ghille beag mar mise a ghlacadh is a shlaodadh a dh'oisean dorcha - can, gu cùl nan taighean-beaga air a' chidhe - is dochann nan dochann a thoirt dha. Dìreach àlainn!

'Dè tha ceàrr ort, a Mhìcheil?' dh'fhaighnich Seanair.

'Chan eil sgath.'

'Bheil thu a-nist ro mhòr son shuiteas an dèidh na h-eaglais?'

'Chan eil! Dearbha, chan eil.'

'Bidh thu taghta, a ghaoil,' arsa Granaidh. 'Aithnichidh tu do rathad dhachaigh. Nì Clann a' Bhèiceir toileachadh rid fhaicinn is bruidhinn riut.'

'Ok,' agamsa. Is mum b' urrainn dhan a' chòrr a dhroch smaointean mo ragadh, dh'fhalbh mi nam ruith sìos nan steapagan casa a dh'ionnsaigh an rathaid mhòir. Cha tug mi sùil idir air a' *Square* - àite far am bi daoine cunnartach a' cruinneachadh, ged is e - dh'fheumainn aideachadh - seann fheadhainn a' cuachail dhan càraichean, bu mhotha a bhiodh ann an-dràsta.

'Tha thu a-staigh son na Bliadhn' Ùire, a Mhìcheil?' aig fear na bùtha, Eòghainn.

'Tha.'

'Bidh Granaidh air a dòigh. Cuideigin aice a mhilleas i.' Rinn e gàire blàth.

'Cha chreid mi nach bi i a' milleadh Seanair uaireannan cuideachd ma-tà.'

'Tha teans gum bi. Dadaidh eh...*allright*?'

'Tha tapadh leibh. Dè tha pacaid mhòr *Revels* a' cosg?'

Thionndaidh e, is thog e on sgeilp e. 'Bu chòir dhan phrìs a bhith orra seo air fad.' Thug e sùil sìos fon chunntair. 'Feumaidh gun do thuit i far an fhir seo. Och uill,' is thug e sùil timcheall dhaoine am bogadh ann an naidheachdan.

'Pailt cho math dhut a thoirt leat.'

'*Sorry*?'

'Thoir leat na *Revels*, a Mhìcheil. Thoir a dhà no thrì do Dhadaidh.'

Thuig mi nach robh an duine seo airson 's gum pàighinn airson nan suiteas. Cha do chòrd sin rium, ged a bha e laghach dheth.

'Chan fhaod mi,' thòisich mi. Bha sreath dhaoine a' teannadh ri tighinn ri chèile air mo chùlaibh. An làmhan làn phàipearan tiugha. Is an uair sin chuir mi ris. 'Tha mi duilich.'

'Na bi duilich.' aig Ogha a' Bhèiceir. 'Tha thu taghta.' Cha robh coltas cabhag sam bith air. Dh'fhaodadh trian de mhuinntir Bharraigh feitheamh gun rèitichimid an gnothach. Cà' n fheumadh iad uile a dhol, cho luath sin air feasgar Didòmhnaich, an 30mh dhen Dùbhlachd?

'Ok ma-thà,' aigesan. 'Thoir dhomh not'.'

Rinn mi sin, is thug mi an t-sràid orm - *Revels rìomhach mo rùin* gu teann nam dhòrn.

Chaidh mi a-null chun a' bhalla bhig air cùl nam pumpaichean-peatroil is shuidh mi mionaid gam fosgladh. Bha mi an dòchas gum biodh deagh thòrr de fheadhainn cofaidh ann is gun cus chnothan.

'Cò thusa co-dhiù?' bho ghuth a theab mo chur à cochall mo chridhe. Bha mi air dìochuimhneachadh mun phrasgan ud fhad 's a bha mi le fear na bùtha. Ach chan e duine dhiubh sin a bh' ann, ach nighean ann an aodach dubh is speuclairean cruinn. Chuirinn mu 16 bliadhna i.

'Mìcheal Boidhd,' arsa mise.

'Tha fhios a'm air a sin. Chuala mi thu fhèin is e fhèin a' trod mu shuiteis. Bhithinn-sa air an gabhail an-asgaidh. *Not proud, me!*

An e sin a bh' ann? An e pròis air choreigin nach do leig leamsa an gabhail bhuaithe - is an duine cho còir? No an e rud ceangailte riutsa a bh' ann - rud a chuir thu annam, gun sinn a bhith 'an taing' duine sam bith? Chan fheumamaid an '*sympathy*' no an '*charity*', *thank you very much*. Ach carson a bha i seo a' bruidhinn riumsa? Agus sa Ghàidhlig?

'Ag iarraidh Revel?' dh'fhaighnich mi.

'Nach eil còir agad an cumail dhad athair?' fhreagair ise. 'Bheil e trom air suiteis? 'N tusa gille le fear de chloinn

Mhìcheil Iain 'ic Ain Bhàin?'

''S mi. 'S e m' athair-sa Anndra'.

'Sin am fear nach bi a' tighinn dhachaigh,' ars ise.

'Cha...' thòisich mi. 'Cha b' àbhaist dha. Uill, b' àbhaist ach... 'S dòcha gum bi a-nist.'

'Dè an cor a th' air co-dhiù?' Chùm i oirre na dòigh àraid 'inbheach'.

'Deagh chor. Is cò thusa?'

'Do chousin.'

'Dè?' An ann a' tarraing asam a bha i?

'Gu math fad' às. Na biodh eagal ort!'

'Ach dè an t-ainm a th' ort?'

'Rebecca Anna NicIllinnein. À Tobh. Toilichte coinneachadh riut, ille.'

Dh'fhan mi sàmhach airson greis - a' feuchainn ri seo uile obrachadh a-mach. Thilg mi grunn *Revels* nam bheul. Thionndaidh mi a' phacaid an taobh a bha ise, is dhinn i a cròg innte.

'Nas fheàrr dhut na smocadh' ars ise, gun ghàire a dhèanamh. Na sùilean dorcha ud - làn mascara - gun ghluasad a bharrachd.

'Feumaidh mi tilleadh.' Leum i far a' bhalla.

'Càite?'

'Dhan bhùth. Far am bi mi ag obair.'

'Ò? Cha tug mi an aire.'

'An aithne dhut,' arsa mise, 'Iain Eachainn?'

'Cò *Masterchef*? 'S ann dhomh as aithne! Bheil thu tighinn a-nuas a-màireach?'

'Càite?'

'A Thobh. A chèilidh air Iain. Chan eil sinn fada bho chèile. Tha latha dheth agamsa.'

'Uill, eh, chan eil fhios a'm ...eh chì mi dè tha dol, ach taing son m' iarraidh, a Rebecca.'

''S e do bheatha, a Mhìcheil. Nì mi *omelette* cha mhòr cho math ri fear Iain Eachainn.'

Dh'fhalbh i is thug mi sùil sìos - cha robh mòran Revels air fhàgail do Dhad bochd. Cha b' urrainn dhomh tilleadh dhan bhùth a cheannach pacaid eile - ged a bha an t-airgead agam:

[**A**] Air tàilleamh a' phreusaint nach do leig mi le Eòghainn a thoirt dhomh is [**B**] air a tàilleamh-se: Rebecca.

Ach cò aige a tha brath nach fheuchainn air dòigh air choreigin air a dhol a Thobh a-màireach. Bhiodh e math fhèin I.E. fhaicinn - caractar laghach a bh' ann. Cha robh mi a' tuigsinn na bha cur air Dad mu dheidhinn? Nuair a thog mi mo cheann, chithinn seacaidean tana na gràisg ghràineil a' nochdadh far am bi am bàta-teasairginn ceangailt' - na h-aon nigheanan faoine air ais nan cois. Tharraing mise, cho luath 's a leigeadh m' eagal is mo bhrù làn Revels leam, a-null rathad na Leideig.

11

Rèidh leis a' ghaoith

Tha mise fhathast math gu ruith, ged nach eil mi buileach cho luath ri Kyle Barr - chan aithne dhutsa e. 'S ann gu St. Joseph's a chaidh esan. Cha mhòr nach eil esan na *Scottish Champion*: sin a thuirt Bobby Grey co-dhiù. Ach air an rathad dhachaigh a thaigh Granaidh, thug mi leam a' ghaoth. Ghlac mi i an cùl mo sheacaid, is leig mi leatha mo shèideadh air ais oirre. Ach bha smachd agam fhìn air a' ghnothach ge-tà; fad an t-siubhail. Chuir mi mo cheann beag gòrach rim chom is shiab mi mo làmhan mar a nì iad sna h-Oilimpigs - gach micro-diog cho prionnsapalach. Bu Mhìcheal Boidhd

'Am Bolt'!

'Mise a th' ann!' dh'èigh mi, a' leum tron doras. M' anail gus a dhol na casadaich orm.

Sàmhchair. Bhuail i sa mhionaid uarach mi. An dearg shàmhchair ud a-rithist. Daoine beò san t-saoghal, ach iad air an slugadh a-staigh a dh'uamha anns nach cluinnear bìog. 'S ann air a fàileadh bu mhotha a dh'aithnich mi a-rithist i. Bolladh sgreataidh na sàmhchair ann an taigh cho glan ri prìn' ùr.

An triùir aca nan gurraban mu bhòrd beag a' chidsin - poit tì na suidhe eatarra is mugaichean fuara. Ceann Dhadaidh na làmhan.

'*Talk of the devil!*' aig Seanair.

'Sin thu, a ghaoil,' aig Granaidh. 'Fhuair thu rud?'

Chuir mi fiaradh nam cheann.

'Chan eil Dadaidh...' thòisich i.

'Tha e a' tuigsinn, a mhàthair,' ars esan. Chan eil fhios a'm an robh! Dè bha air tachairt o chaidh sinn dhan eaglais. An robh

Dad air rudeigin a dhèanamh? No an d' rinn cuideigin rudeigin air? Bheil burraidhean a-muigh a-sin a bhios a' tighinn às dèidh dhaoine mòra le cinn àbhaisteach? Coltach ris an fheadhainn a bhios gam ruith-sa? Is mar nach eil fhios aig Dad daonnan mum dheidhinn-sa, tha fhios nach innseadh e sgath dhòmhsa orra sin.

'Bheil duine às do dhèidh, Dad,' dh'fheuch mi. 'Far a' bhàta 's dòcha?'

'Cò air a tha thu a-mach, a Mhìcheil?'

'Daoine nach toigh leotha thu, a chionn 's ...' Ach cha b' urrrainn dhomh smaointinn air rud mòr sam bith a chuireadh dragh air daoine mu Dhad – a thaobh a choltais co-dhiù.

'Chan e sin e, a Mhìcheil!'

'A Mhìcheil!' aig Granaidh. 'Leig led athair. Bidh lathaichean ann far nach bi e a' faireachdainn cho math no cho làidir – is feumaidh sinne beagan fois a thoirt dha. Tha esan cuideachd ri caoidh. Ann an dòigh dhiofraichte bhuatsa.'

Dhùin an t-sàmhchair mun cuairt oirnn a-rithist. Rinn Seanair casad is an uair sin fear eile. ''N t-uisge ann a-nist.' ars esan ag èirigh is a' coimhead tro na *venetian blinds*. 'Uisge na mallachd san àite seo daonnan.'

'Trobhad, ' arsa Dad. 'Dhomh cudail.'

Shuidh mi air a ghlùin is phaisg e a làmhan gu teann mun cuairt orm is chuir e a cheann rim cheann-sa. Bha am fear aigesan gu math blàth, fàileadh caran stalda ach snog far a ghruaig. Bha mi sàbhailte mar sin. Dh'fhairich mi an uair sin teas is taise air an robh an dithis againn cuideachd gu math eòlach, ged nach robh iad air a bhith cho bitheanta o chionn ghoirid. Roilig na deòir aig Dad sìos mu bhus a dh'ionnsaigh m' amhaich ach stad iad pìos beag fom smiogaid.

Theann e rim thulgadh a-null is a-nall. 'Mo ghille,' chagair e rium. 'Mo ghille mòr! Dè nì mi leat?'

'Seo a-niste sibh!' aig Granaidh - mun dèanadh e rud ceàrr 's dòcha! - 'Tha an *soup* seo gu bhith deiseil.'

Chuir i a-mach ann am bobhlaichean mòra eadarainn e. Rinn i dà leth air an lof gheal is chuir i air truinnsear iad. 'Ma tha salann a dhìth oirbh, tha e ann a shin.'

Thug mi sùil air Dad, is rinn mi seòrsa de *smirc*. Fhreagair a shùilean mi le fear na bu mhotha.

'Seadh,' arsa Seanair. 'Agus dè an sunnd a th' air Rebecca?'

Theab mi am brot a splutraich a-nuas.

'Dè?'

'Tha fhios gum faca tu i,' ars esan gun chnead air aodann a dh'innseadh dad dhut. 'Bidh i ag obair an Taigh a' Bhèiceir a h-uile madainn Didòmhnaich. Tha an tè ud a' dol a bhith na *Mechanical Engineer*. Agus 's i bhios math! Mur a cuir a' ghloidhc ud shuas bacadh oirre!'

Tharraing Dadaidh anail a-staigh gu trom tro a shròin.

'Aidh,' arsa Granaidh is i a-nist deònach am brot aice fhèin a bhlaiseadh – pìos parslaidh a' suathadh is a' steigeadh ri a fiaclan fuadain.

Cha b' e seo an t-àm faighneachd cò bh' anns a' ghloidhc. Ach seo an geall a bhithinn air a chur: 50% a h-athair vs 30% a bràmair vs 20% fireannach air choreigin eile, tidsear is dòcha.

'Am faod mi dhol a choimhead air lain Eachainn a-màireach?' dh'fhaighnich mi an uair sin. 'Tha e coltach gun do thog e rudan brèagha son a' ghàrraidh.'

'Sin a thuirt e?' aig Dad.

''S e.'

'Cha ghabh a h-uile sgath a chanas an duine sin creidsinn. Esan cuideachd a' chiad duine a choisich air a' ghealaich!'

'Esan,' dh'èigh mise, ag èirigh nam sheasamh. 'An aon duine a bhodraig ri dragh a ghabhail, son buamastairean a chur nan àite, mun deach mo phronnadh-sa air a' bhàta!'

Cha robh fhios aig Dad càite no cò air a choimheadadh e. 'Tha an *soup* math ma-thà' thuirt e, mu dheireadh, ri a mhàthair.

'Uill, òl e Anndra,' ars ise. 'Mun dorchnaich i!'

12
Cuairt

'Is dè a-nist' a tha fa-near dhuibh?' arsa Seanair, coltas air fhèin gum bu thoigh leis norrag na Dòmhnaich a dhèanamh, is nach biodh sin cho furasta dha le dà '*ghuest*' a-staigh – fear aca le a cheann na làmhan is a' rànaich nuair nach robh e a' suidhe gun facal a ràdh. 'Cha chreid mi nach eil i a' clìoradh.'

'Tobh?' thuirt mise. 'Coisichidh sinn tarsainn a' bhealaich!

'A Mhìcheil!,' arsa Dad. 'Dè an *obsession* a th' agad le Mac Eachainn?'

'Dè th' agadsa na aghaidh?'

Thog Dad a cheann is choimhead e orm an clàr m' aodainn. ''S ann às a seo a tha mise, cuimhnich. 'S aithne dhòmhsa na daoine. *Come on*; thugainn a Bhatarsaigh!'

'A dh'Eòrasdail!' dh'èigh mi.

'Sibh nach tèid!' aig Granaidh. 'Bidh a' ghrian air a dhol fodha mun àm a ruigeadh sibh am baile gun luaidh air tilleadh às.'

'S ann dhan Àird a chaidh sinn. Àird a' Chaolais.

'S e glè bheag a bha a' gluasad is sinne a' dràibheadh tro Bhàgh a' Chaisteil - duine no dithis a' dèanamh air amar-snàmh na sgoile - am bagaichean air an caitheamh thar an guailnean - feadhainn eile a' coinneachadh riutha aig an doras len gruaig pheallagaich fhliuch is an gàire. Taighean beaga is mòra Na Nasg - is tha gu leòr ann dhiubh - nan dlùth-chròileagan os cionn a' Bhàigh Bhig. Dà chaora fhuar romhainn aig a' *Chattle-Grid*. 'Shin sibh, leadaidhean, bìdeag bheag eile, tà!'

Bha thusa riamh cho dèidheil air Bhatarsaigh. Bhiodh tu ag ràdh gun robh thu faireachdainn gu tur diofrach ann, bho Bhàgh a' Chaisteil, ach on chòrr de Bharraigh cuideachd.

Nach ann aig dannsa an seann *hall* Bhatarsaigh a choinnich thu ri Dad, no a chunnaic thu e, no esan thusa, airson a' chiad uair? Deannan bhliadhnachan mun do thogadh an cabhsair - nuair a bha Bhatarsaigh na eilean air leth - làn fhireannach gun phòsadh.

Bidh Dad ag ràdh gun do dh'aithnich e sa mhionaid gur ann a' campadh a bha thu - gun robh preasan nad aodach agus nad aodann - is bha an t-sìde air fàs fiadhaich thar an dà latha mu dheireadh. Coltas meadhan a' gheamhraidh a bh' oirre seach toiseach an t-samhraidh. Feumaidh gun do ghabh e truas riut fhèin is do charaid, nuair a thairg e àite dhuibh an taigh Granaidh. 'S e a chuir iongnadh air nuair a dhiùlt thu e ann an Gàidhlig bhrèagha. Cha b' urrainn dha idir a ràdh aig an àm, cò às a bha thu - ach nach b' ann à Barraigh no Uibhist a Deas a bha thu.

Bidh Dad a' bruidhinn air na rudan sin uaireannan - rudan air nach do bhruidhinn e riamh mun do dh'fhalbh thu. 'S e tha na thàmailt dha, tha e ag ràdh, nach tug e ort d' inntinn atharrachadh, no nach do thill e a Bhatarsaigh an-ath-latha gad fhaicinn. 'S dòcha nach robh deich bliadhna air a dhol seachad gus an do thachair sibh a-rithist; ceithir bliadhna mun do phòs sibh; is 3 bliadhn' eile mun do nochd mise. Bliadhnachan mòra a dh'fhaodadh air a bhith agaibh is againn mar theaghlach còmhla. Cha robh cabhag ann, ach bha cabhag air tìm. Sin rud eile a nì mi le tìm. Bidh smachd agamsa air cabhag no luathas tìm. Mar sin, ma tha mi ag iarraidh gun tèid droch rudan no rudan mì-chofhurtail seachad gu luath - cuiridh mi sgoinn orra. Ach ma tha nithean snoga a' tachairt, leigidh mi leotha maireachdainn gu math nas fhaide na an àbhaist.

Ann an Dùn Èideann a choinnich sibh a-rithist ge-tà! Bhruidhinn Dad air gu snog,

Air an rathad dhan Òban. Danns' eile - fear mòr an Oilthigh - '*The Highland Annual*'. Na *post-grads* uile ann am bois ollaimh air choreigin (Reid nach e?), ach thusa coma de naidheachdan a chuala tu ioma uair roimhe, nuair a dh'èigh e àird a chlaiginn.

'Ach a chàirdean còire carthannac ma tha sibh gu fìrinneach ag iarraidh '*An Dialectical Division*' air Eilean Bharraigh a thuigsinn, chan fheumar a dhol mìr nas fhaide na an dithis ghaisgeach a tha tighinn nar còmhradh.

'Seo agaibh Anndra Mhìcheil Iain ic Ain Bhàin far na Leideig an ceann a deas Bharraigh. Agus 's e seo a charaid (a tha a cheart cho math le càraichean) Raghnall Chailein à Bruairnis sa cheann a tuath.

Dh'aithnich thu Dad sa bhad, is bha thu cinnteach gun do dh'aithnich esan thusa. Bha co-fhaireachdainn agad ris, nuair a thug 'Am Prof' air fhèin is Raghnall Gàidhlig a chur air '*Real milk and strength are always on the table*,' gus an diofar eatarra a shealltainn.

’S e 'bainne nam bò' a thuirt Dad a' chiad turas, an àite am 'bainne ceart' a bha a dhìth air a' pheasan. Is leis gur ann às Uibhist a Tuath a bha màthair Raghnaill, bha rudeigin sa chainnt aigesan nach do chòrd ris a bharrachd. Ach chòrd thusa ris - is b' fheudar do Dhad, thuirt e, do shàbhaladh bhuaithe. Le sin, cha do leig e far an ùrlair fad na h-oidhche thu. Riamh còmhla bhon uair sin gus...

Fhios agad, ged as fhìor thoigh leam Eòrasdail (oir, tha fhios gur e b' fheàrr leatsa - gur ann a sin a bhiodh an dithis againn a' dol car tric), bha mi air dìoch uimhneachadh dè dìreach cho bòidheach 's a tha An Àird.

Dh'fhàg sinn an càr mu choinneamh an taigh' mu dheireadh - car truagh a' coimhead le uinneagan dùinte le clàran fiodha - is ghabh sinn a-null tarsainn a' chnuic.

Cha robh e doirbh dhòmhsa a dhìreadh, ged a b' fheudar do Dhad stad uair no dhà airson na bha mun cuairt oirnn fhaicinn ceart. Creagan corrach casa romhainn; cuan an iar a-mach gu sìorraidheachd fàire; Beinn Tangabhal is a bàrr fo cheò thar a' chaolais chiùin; Tràigh Bhàrlais a' sìneadh fodhainn agus treud mhart (le tarbh tha mi a' smaointinn!) nan sìneadh oirrese. Dà bheinn Bhioraslaim thall - gun cheap no còmhdach - a' cumail faire.

Thòisich Dad a' bruidhinn air sìthichean - rud nach cuala mi riamh reimhid aige. Thuirt e gun robh 'brugh' no 'sìthean' air taobh deas na h-Àirde is gun robh feareigin ann - a b' aithne dha fhèin - nach biodh a' bleoghan a' chruidh gus am falbhadh na boireannaich air fad dhachaigh. 'S coltach gum biodh sgian aige daonnan air a cur dhan talamh - eagal 's gun goideadh na daoine beaga seo am bainne air - "bainne ceart nam bò!" An uair sin thug e *lecture* mhòr dhomh air an diofar eadar sìthichean Gàidhealach is 'An fheadhainn aotrom phinc ud gun dòigh, len sgiathan, a chì thu sa chumantas. Daoine mòra beaga - fireannaich le feusagan fada orra is tha cumhachd aca. Cinnteach gu leòr!' Bha mi a' tòiseachadh air smaointinn gun robh Dad ga chall beagan is bha mi toilichte 'An Sloc' a ruighinn far am faodadh an dithis againn suidhe is ar *sandwiches* ithe air a' mhol. 'S ann ann a bha am fasgadh sgoinneil, agus bu bhrèagha bha dath na mara.

Nuair a bha Dad a' cur a' chupa air ais air Thermos Seanair, is mise air dìreadh às an t-Sloc, thòisich grìs neònach aotram nam dhruim. Thionndaidh mi is chunnaic mi e - pìos air ar cùlaibh mun bhrugh - chan e sìthiche, ach seòrsa de dhealbh no ìomhaigh. An toiseach bha e doirbh a dhèanamh a-mach, oir bha i a-nist a' ciaradh gu luath, ach dh'fheuch mi gu cruaidh is thug mi air mo shùilean fradharc na b' fheàrr a thoirt dhomh, is an uair sin bha mi cinnteach dè bh' ann. Is tusa a bh' ann - nad sheasamh gu sèimh socair, do làmhan ann am pòcaidean na seacaid dhìonaich ud, a' coimhead a-nall thugainn. Chan fhaicinn dè an coltas a bh' air d' aodann, ach a rèir do bhodhaig cha chanainn gun robh cus a' cur dragh no iargain ort.

Smèid mi riut. Is dh'fhalbh thu.

'A Bhòchain a Mhìn, a Mhìcheil!' Seall an uair!' aig Dad. 'Bidh Granaidh air *search-party* a chur a-mach.'

'Cha bhi,' arsa mise. 'Bidh a h-uile sgath taghta.'

13

Dinnear còmhla riutsa

Agus, bha. An oidhche sin! 'S e an stiùbh blasta aice fhèin a bh' aig Granaidh dhuinn, is bha sannt agus sunnd air an t-sluagh gu ithe.

'B' fheàirrde sinn a' chuairt ud. Eh, a Mhìcheil?'

'Dearbha.'

'Tha sibh ceart!' Aig Granaidh. 'Tha rudhadh fallain air busan an dithis agaibh.'

'Cha do rug na sìthichean oirbh?' dh'fhaighnich Seanair ann an guth blàth le beagan faothachaidh is dòcha aige. Sin agus feum na norraig is na fois.

'Leig iad leinn an-diugh, cha chreid

mi,' fhreagair Dad, a' toirt thuige tuilleadh buntàta. 'Chan fhaca tusa iad ma-thà?'

Chrath mi mo cheann. Oir chunnaic mi rud mòran na b' fheàrr, agus fad a' chòrr dhen dinnear, 's ann còmhla rithe a bha mi – còmhla riut fhèin!

Fhios agad càite? Ann an taigh Opa ann am Bonn. 'S i an aon seacaid a bh' ort fad na seachdain sin – sin cuideachd an t-seacaid a bh' ort nuair a choinnich thu fhèin 's Dad am Bhatarsaigh sna 1980an, nach i? 'N i a bh' ort aig Dannsa Bliadhnail an Oilthigh? Nuair a phòs sibh? Tha fhios nach i! Tè fhada ioma-dhathte: deargorainspurpaidhliath.

Tha a' ghrian air tighinn ris is bheir thu dhìot i, agus sgaoilidh tu air a' ghlasaich i am Pàirce Rheinaue is cuiridh tu a-mach gach rud a tha dol a bhith sa phicnic – bidh mise mu thrì no ceithir is ag iarraidh a-mach air Lake Auensee gun dàil. Chan eil againn ach sinn fhìn mar as àbhaist – Dad gun làithean-saora a bharrachd, tha fhios. No trang. Thusa? Dè bha thusa ris aig an àm - robh thu fhathast nad oileanach no an robh thu deiseil is tu nad mhamaidh làn-ùine? Chan eil cuimhn' a'm mun deach mi dhan sgoil, uair nach robh thu ann. An-còmhnaidh a sin! Is thig Opa, ged a thuirt e, nuair a dh'fhàg sinn an taigh, nach tigeadh. Ach tha sinne air a' chuid bu mhotha dhen bhiadh ithe. Tha ball aige - a bha e dìreach an dèidh a cheannach dhomh, is cluichidh sinn ball-coise is seòrsa de *volley-ball* - is tuitidh e sìos air do chòta na fhallas is leigidh e sgread. Is leis nach do thuig mise facal dhe na dh'èigh e, tha dùil a'm gu bheil an fhearg air, no gu bheil e ann am pian. Ach 's ann a tha e air a dhòigh glan is lìonaidh e a bhrù mhòr uabhasach le pìos cèic eile.

Chan eil fhios a'm an tèid mi tuilleadh dhan Ghearmailt, gun esan ann. Càit an rachainn? Chan fhaic mi Dad gam thoirt ann. 'S dòcha gun tèid mi ann, nuair a bhios mi air chomas mi fhìn a thoirt ann is às. 'N e deagh *idea* a bhiodh a sin?

An dèidh dhomh an sgoil fhàgail, is

dòcha gum falbh mi airson greis leam fhìn air feadh na Roinn Eòrpa. Cha chanainn gun iarradh duine dhe na 's aithne dhomh san sgoil tighinn còmhla rium - no co-dhiù dha na h-àiteachan a bhithinn-sa airson fhaicinn: Taobh sear na Gearmailt; An Ungair; Slobhinia. B' fhìor thoigh leam Slobhinia fhaicinn - bheil fhios agad ged a dh'fhaodas cupal pòsadh air Eilean Bhled, gum feum an duine bean na bainnse a tharraing suas nan 90 steapag dhan eaglais, ma tha iad dol a bhith toilichte còmhla. Cuideachd tha còrr air 400 mathan donn ann an Slobhinia! A' siubhal mhnathan, ha!

Co-dhiù chì sinn. Ach 's e cuimhneachan laghach a th' ann - mise is thusa is Opa - is a' phàirce mhòr àlainn ud air a còmhdach le grian is gàire mòr mo sheanar eile.

Robh esan toilichte gu leòr nuair a rinn thu suas d' inntinn gur ann an Alba a bhiodh do dhachaigh. Ged a tha bràthair agad, tha fhios gun robh Opa ag ionndrainn a chaileig phrìseil?

An tuirt e sìon riut mu dheidhinn Dad? 'N e esan an seòrsa fireannaich a bha e ag iarraidh dhut on a bha thu beag? No, an robh e coma na rudan sin uile fhàgail agad fhèin? Is gur e Gàidhlig is nach e Gearmailtis a bha thu a' cumail riumsa?

'S e duine a bh' ann aig an robh beachdan làidir – bhiodh e neònach mura robh rudeigin aige ri ràdh mun ghnothach. 'S e glè bheag de chuimhne a th' agam, bhon àm sin, air Dad a bhith mòran nar cuideachd. Carson? Robh e cho trang sin sa Gharaids? Cha chan esan sgath mu dheidhinn no mun Ghearmailt. Mar, seach gun do thachair e riutsa ann a sheo ann an Alba – is gur ann an seo a bha sibh còmhla – nach leigeadh duine againn a leas eòlas mòr sam bith a chur air an taobh sin dhìot. Ach 's ann a sin a rugadh tu, is a thogadh tu nuair a bha thu òg – thu fhèin is Opa is do mhàthair a' falbh còmhla air deireadh-seachdain gu Fèilltean Bàrdachd is Fèilltean Leabhraichean. Na rudan poilitigeach san robh sibh an sàs.

Dh'inns thu dhomh gun do dh'fhuiling do mhàthair mun deach aig Opa air a toirt tarsainn 'A' Bhalla'. 'N e sin a dh'fhàg goirid a saoghal-se? Is seall thusa nad dheugaire a' siubhal nam mìltean mòra gus Run Rig a chluinntinn beò - faclan nan òran uile air an snaigheadh air do theangaidh is do chridhe. Dè idir a dhùisg sin annad?

"Chì mi an geamhradh anns a' ghaoith, chan eil an sneachd fada bhuainn..."

'Tha an cadal air a' ghille againn!' arsa Seanair Bharraigh, a' cur bhuaithe a bhobhla *custard is peaches* gun ach leth dheth air ithe. 'Tha mise làn.'

Thug Granaidh thuige a chupa fhèin - *The Big 60* - ged a tha bliadhna no dhà on là ud! Chuir i bainne ann, is lìon i gu a bhàrr e, mun do leig i às an dà *sweetener*, is chuir i mun cuairt gu luath i. Thagh i an uair sin *Mint Club* dha on bhogsa theann *Thupperware*.

'Bidh thu fhèin a cheart cho sgìth Anndra,' arsa ise. 'A' chiad latha no dhà -

tha an èadhar seo cho tiugh is gun laigh i trom ort. Gus am fàs thu cleachdte rithe, *Fhir Dhùn Èideann (Ouch!).*' Cha chuala Dad i. Bha a cheann-san air a bhith a' falbh gun smachd, suas is sìos, is e an ìmpis am bòrd a bhualadh. 'Cha b' fhuilear dhan dithis agaibh an leab' a thoirt oirbh tràth a-nochd, is an là mu dheireadh dhen bhliadhna ann a-màireach. Tha fhios gum bi sibh airson a bhith beò aig na *bells*. Mura tèid sibh air seacharan aig Callaig Iain Eachainn.'

'Dè?' aig Dad ann an guth ròcach fad às.

'Thadhail e,' arsa Seanair.

'Agus sinn a-staigh!' chuir Granaidh ris. 'Tha e a' cur air dòigh rudeigin do chloinn Thobh an-ath-oidhch. Gu falbh iad a-mach air Challaig, mar a b' àbhaist dhaibh. Mharbh 'An Tàcharan' molt dha aig toiseach na seachdain. Tha e air an rud ud - 'An Caisean' - a dhèanamh gu ceart air, thuirt e. 'S ann às, ma-tà, a bhios an samh! Gu h-àraid nuair a bhios e loisgte. Air na chunna tu riamh, Anndra, na iarr air tighinn ann a sheo leis, is mi an dèidh 's na h-uinneagan a ghlanadh is cùirtearan ùra a chrochadh.'

Thug Dad sùil àraid orm sa. Dh'fheumadh e bhith dall gun m' aoibhneas is mo bhoil aithneachadh.

'Ach gu dè thug an seo e?' dh'fhaighnich e ann an guth nam beò.

'Bha dùil aige,' arsa Seanair, 'gum biodh 's dòcha duan no dhà agam dhan chloinn. Rud a bha - ach cuideachd dh'iarr e oirnn Mìcheal a leigeil a-mach còmhla riutha.'

'Is dè thuirt sibh?' arsa mise is Dad còmhla.

'Cha tuirt sgath,' fhreagair Seanair is Granaidh còmhla.

14

An latha mu dheireadh dhen bhliadhna

Sinn nar suidhe a' gabhail Cheerios - an t-uisge a' cath ri uinneag a' chidsin.

'Thuirt mi riut a-raoir, a Mhìcheil!' aig Dad airson an treas turas.

'Ach...'

'Chan eil 'Ach' anns a'...'

'Ach thàinig e ann a sheo, a dh'aona-ghnothach son m' iarraidh sìos.'

Bhuail Dad a phìos tost air a thruinnsear.

'Thàinig Iain Eachainn ann a sheo airson fiosrachadh fhaighinn o m' athair is mar sin b' fheudar dha fiathachadh a thoirt dhut. Leig leotha siud, a Mhìcheil. Cò aig a tha brath dè uile 's a bhios na daoine sin ris.

'*Spoilsport!*' dh'èigh mi, is dh'fhalbh mi nam ruith dhan *bhedroom*. Fhliuch mo dheòir a' chluasag.

'S e Granaidh a thàinig an ceann an leth-uair. Tost ùr teth na làimh agus muga *Hot Chocolate*. 'Feumaidh tu na tha d' athair ag iarraidh ort a dhèanamh. Na tèid na aghaidh, a Mhìcheil. Chan eil e ach a' feuchainn rid chumail sàbhailte.' Ach an uair sin dh'inns i rudeigin a thug am barrachd mòr tuigse dhomh. An robh fhios agadsa idir air a seo?

Tha e coltach gun robh Dad is bràthair do dh'lain Eachainn - Aonghas, no 'Screwdriver' mar a bh' aca air - san aon chlas còmhla san sgoil bho riamh. Is neo-ar-thaing iad nam fìor dheagh charaidean ged a bha (am beachd Granaidh) am fear eile - an teaghlach air fad - is gu h-àraid 'Screwdriver' - caran *rough* is nach toireadh e mòran dhaibh a bhith ann an trioblaid.

'Bha seo,' arsa Granaidh, 'fada mun cualar air drogaichean no sgath mar sin a bhith aig daoine ann am Barraigh - aig muinntir an àite co-dhiù. Ach bha deoch gu leòr ann, is sabaid, is càraichean.

'Bha d' athair-sa riamh cho math am broinn càr, a Mhìcheil,' ars ise. 'Bhiodh daoine a' tighinn thuige, is ag iarraidh air siud is seo a dhèanamh dhaibh - rothan ùra a chur orra, no an ola a *shioft*adh, on a bha e sia bliadhn' deug. No sùil a thoirt air an einnsean feuch cò às a bha fuaim àraid a' tighinn. Chuireadh iad na *brakes* an earbsa ris cuideachd. Agus 's e sin an rud a dh'abhbhraich na thachair.'

'Thuirt d' athair gum biodh e deònach a leithid seo a dh'obair a dhèanamh air càr Screwdriver. Cha robh fad sam bith o fhuair e tron *test* - Iain Eachainn, e fhèin, a thug an càr dhachaigh thuige às an Òban. Audi 1.8 fada ro mhòr do ghille òg! Cuideigin, a b' aithne do chuideigin, a b' aithne do dh'Iain Eachainn, ga chreic ris - air deagh phrìs "airson droch chàr!" - beachd d' athar.

'Co-dhiù, bha ball-coise - treànadh, chan e ach gèam - eadar Barraigh is South

End am feasgar ud. Rinn d' athair a h-uile sgath deiseil sa mhadainn - a h-uile sìon a bha esan a' cumail a-mach a chaidh iarraidh air a dhèanamh. Cha deach e an còir nam *brakes*. Ged nach d' iarr iad sin air, bhiodh e buailteach sùil bheag a thoirt orra co-dhiù. Sin an seòrsa duine a tha nad athair, a Mhìcheil - dìcheallach, faiceallach na dhòigh (falbhaidh an trom-inntinn seo dheth, is gheibh thu air ais gu slàn fallain e). Ach bha cabhag air faighinn a chluich sa ghèam an latha ud.'

'Uill, mu naoi uairean an oidhche ud dh'fhalbh feadhainn aca, Aonghas Eachainn - 'Screwdriver', bràthair eile dhaibh - Calum, is dithis às Eòileagarraidh a-mach air *spin*. Cha robh *seat belt* air duine aca. Bha i an dèidh 's a bhith a' dòrtadh bho àm dinnearach.'

'Is, nach do thachair fiadh riutha, is iad a' tighinn aig astar air a' phìos ud dhen rathad eadar an *airport* is tobhta Dhùghaill Dhuibh. Leum e a-mach orra is stad e am meadhan an rathaid. Aig sealbh tha fhios, ciamar a choisich iad air falbh bhuaithe. Tha e coltach gun do chuir an càr làn char dheth fhèin mun do bhuail e san fheansaidh. Nan robh iad air sgiodadh an taobh eile, dh'fhaodadh iad a bhith air a dhol leis a' chnoc sìos chun nan creagan. Cha bhiodh duine aca an seo an-diugh.'

'Mar a thachair, bha an ceathrar aca gu math fortanach; droch crathadh is patan an siud is an seo, ach sin e. Cha do bhris duine aca an cnàimh a bu lugha. Ach ghabh iad an t-eagal gun teagamh sam bith. Cha robh a h-aon aca cho bragail às dèidh sin tuilleadh.'

'Ach nuair a choimheadadh air a' chàr – a bha na *write-off* – 's e "*break failure*" a thug iad seachad mar phrìomh adhbhar na tubaist.'

'Is, *of course*, thàinig iad uile an uair sin air muin d' athar – nach tug e sùil cheart air na *brakes*, no gu dearbha, mar a thuirt cuid a theaghlach Iain Eachainn, gun do rinn e rudeigin orra a dh'aon-obair airson miastadh a dhèanamh. Rud nach dèanadh Anndra againne air a bheatha bhuain. Bha feadhainn aca a' maoidheadh nam breaban dha, ach taing do shealbh, cha do thachair sin.

'S e a' bhuil a bh' ann gun tàinig sgaradh eadar e fhèin is a charaid Aonghas. Rud nach do shlànaich riamh ceart – ged a tha iad an-diugh sìobhalta gu leòr ri chèile.'

'Ach tha sgreamh aig Dadaidh ro mhuinntir Eachainn Ruairidh, is e gu math diombach dhiubh – is amharasach, is cùramach gun a dhol ro fhaisg orra.'

'Bheil seo a-nist ag innse rudeigin dhut, a Mhìcheil? Is leis mar a dh'èirich do Mhamaidh, chan eil d' athair deònach thusa no e fhèin a chur ann an suidheachadh sam faodadh cunnart a bhith.'

Sheall mi lem cheann beag trom is mo shùilean gun robh mi a' tuigsinn na bh' aice, is mar a charaich mi fèithean m' aodainn, leig mi leatha falbh is an còrr dhen *hoover*adh a dhèanamh. Is toigh leam Granaidh. Bruidhinnidh i riut nuair a dh'fheumar.

15

Latha gun fhoighidinn

Chaidh an còrr dhen latha seachad an dòigh cho slaodach is gun robh mi a' smaointinn gun robh mi, mu dheireadh thall, air smachd fhaighinn air tìm.

Dh'fhàs an t-sìde na bu mhiosa, gus an robh i na 'dearg shrad-ghèile' mar a bh' aig Seanair oirre, uair is uair eile; a shùil ga sìor chumail air an uinneig.

'Chan fhàg an òinseach bàta ud cidhe an Òbain, gun diochd air a bhith tighinn tarsainn a' Chuain Sgìth,' aig Granaidh, ri duine sam bith a dh'èisteadh rithe. 'Sin Barraigh gun bhainne a-nist fad còig latha. 'S math gun do lìon mi am frids eile!'

Rinn Dad gàire 'Dùil a'm, a mhàthair, gur ann air a' bhàta mu dheireadh a thàinig mi fhìn is Mìcheal!'

''S ann a-nist!' a' fhreagairt aice-se.

'S cinnteach gur ann air ais a bha spògan na h-uarach a' dol. 'S e 10.30 a bh' ann o chionn deagh ghreis - nuair a chaidh mi gam nighe fhìn san taigh-bheag - is gun e nise ach 10.43, air cloc-circe a' chidsin.

'Leis na bh' ann de *chancellations*,' bha Granaidh a' mìneachadh 'Chuir iad tè a bharrachd air an *run* an-diugh - an 31st. Ach cha tig i siud ri a maireann! Caillidh a h-uile duine a' Bhliadhn' Ùr.'

'Caillidh iad a' Bhliadhn' Ùr am Barraigh!' cheartaich Seanair i. 'Bidh tè aca san Òban! Faodaidh Bliadhn' Ùr a bhith aca a h-uile *weekend*. Tha i deiseil!' Is le sin choisich e a-mach às an rùm.

Chan fhuilinginn mòran a bharrachd gearain is mì-shunnd. Chaidh mi a-staigh dhan *living-room* - fàileadh làidir *polish* ann is a h-uile dealbh cho balbh air a' bhalla. Chuir mi air an TV. Cha do leig Dad leam an *DS* a thoirt leam. Bha sinn gu bhith a' bruidhinn ri chèile; mar theaghlach. Rud ris an robh mi fhathast a' feitheamh. 'S e glè bheag de bhruidhinn a bha esan a' dèanamh ri duine sam bith. 'S e 's cinnteach a bha a' cur ri droch thriom Seanair. Agus, son àm nan làithean-saora, cha mhòr a b' fhiach dad dhe na bha ga chraoladh air an teilidh. Thòisich mi air am prògram seo a choimhead – seòrsa de òraid a bh' ann do chloinn a bhios aca a h-uile bliadhna. Bha iad a' sealltainn dhut mar a bhios an cridhe ag obair, is na bheir cuideachadh is a chuireas bacadh air a' phump aige. Cha b' fhuilear dha '*Na Rad*' a bhith air fhaicinn!

Dh'fhosgail an doras-aghaidh le brag.

'An dòlas gaoithe' dh'èigh Seanair. 'Thalla air ais a Lochlann!'

'Bheil e ceart gu leòr mura tèid?' arsa guth blàth boireann.

Gheàrr mise leum a-mach às mo shèithear

is a-mach air doras an rùm-suidhe.

'Hi, Mhìcheil,' arsa Fiona riumsa, is an uair sin, 'Hallò, a Mhìcheil,' ri Seanair. 'Fhuair sibh dhachaigh ma-thà,' thuirt i ri Dad. Thug i pòg do Ghranaidh - a bha na rud car snog, ach annasach. 'Bha sinn a' gabhail iongnadh, an robh sgath a dhìth oirbh am Bàgh a' Chaisteil,' thòisich i. 'Cha chreid mi nach dùin iad tràth an-diugh - a h-uile sgrios ga shiabadh air na sràidean. Thuirt Lena, mo phiuthar, gun robh an t-uisge dìreach ga chaitheamh a-staigh air dorsan nam bùithean.'

'S ann an uair sin a thuig mi cò 'sinn', oir, air a' mhionaid sin, cò thàinig a-staigh air cùlaibh Fiona ach Rebecca - iuchraichean-càir aice na làimh.

'Sin thu, Rebecca', arsa Seanair is las aodann son a' chiad uair an latha ud. 'Dràibheadh a-nist cuideachd, eh?'

'Chan eil buileach,' ars ise. Bha i air a gruag a nighe sa mhadainn cheana, is chithinn gleans brèagha aiste - ged a bha i fhathast cho dubh ris an t-sùith.

'Hi,' thuirt i riumsa.

'Hi,' agamsa rithese.

'Dè tha dol?'

'Thog mi mo ghuailnean.'

'Robh sibhse am Bhatarsaigh an-dè?' dh'fhaighnich i, 'Bha mi cho *sure* gum faca mi an càr.'

'Cha dèan math do dhuine gluasad san àite seo,' arsa Dad, 'No, leughaidh tu mu dheidhinn ann an "Guth Bharraigh.'

Rinn Rebecca agus Fiona gàire, oir thuirt Dad seo ann an dòigh spòrsail - dh'aithnicheadh tu sin. Ach nach fhaodadh, smaoinich mi a-rithist, na ceart fhaclan a bhith caran greannach, gruamach air an ràdh ann an guth eile? Cha mhòr nach eil an dòigh anns an can thu rud nas cudromaiche na an rud fhèin!

'Tha tì sa phoit!!' dh'àithn Granaidh. 'Chan fheum sinne sgath an-diugh, a luaidh.'

'*No thanks*, a Mhòrag,' fhreagair Fiona. 'Uill, ma-thà, mura faod sinn sìon fhaighinn

dhuibh, tha fhios gun fheàrr falbh. Cha cheannaich mi botal mòr 'Trawler' dhuibhse, a Mhìcheil?' arsa ise ri Seanair.
'Tha thusa ro òg, Anndra,' thilg i air m' athair, le gàire a thug braoisgeil airsan.

'Gu dearbha, cha cheannaich, Fiona! Tapadh leat. Cha toirinn taing dhut son boinneag dhen stuth sin! Cha tig an aois leatha fhèin.'

'Cluinn e!' arsa Rebecca - gu deibhinne 's e seòrsa de leth-inbheach a th' innte - na dòigh-bruidhinn co-dhiù! - 'Bha mise gur coimhead, a Mhìcheil Iain ic Ain Bhàin, a' togail is a' draghadh chlachan mòra sgriosail às a' chladach fad finn fuain feasgar Disathairne o chionn seachdain no dhà. Rud nach dèanadh m' athair no fiù 's Iain Eachainn!'

'S e d' athair-sa - Screwdriver!' dh'èigh mise rithe gun chothrom agam air a' chòrr. 'Bràthair Iain Eachainn!'

Thug Dad sùil orm is an uair sin air Rebecca. 'Ciamar a tha e?' dh'fhaighnich e.

'Gu dòigheil, *thanks*. *Offshore* a-rithist! Ò aidh, sin rud eile,' thuirt an nighean iongantach seo, a' tionndadh thugamsa. 'Theab mi dìochuimhneachadh. Cuin a thogas Fiona a-nochd thu airson na Callaig?'

Ghabh mi gu h-ealamh, ach gun fhacal, gu taobh eile a' bhùird, far an robh Dad na shuidhe - Guardian an-dè air a chur bhuaithe, an *cross word* gun cus bheàrnan.

'Thusa gu bhith ann cuideachd, Fiona?' dh'fhaighnich e.

'Airson greiseag,' thuirt i, is dh'fhàs a busan car dearg. Thuirt mi ri Iain gun toirinn *hand* dha ag ullachadh na cloinne. Ach tillidh mi a dh'iarraidh Mhìcheil dhuibh.'

Cha tuirt duine sgath. Robh sin a' ciallachadh gun robh cead agam a-nist falbh air Callaig Iain Eachainn, le Fiona nan casan *Karate* (*no nas fheàrr!*), a' coimhead a-mach air mo shon, agus Rebecca gun a bhith fad' sam bith on ghnothach. Saoil an tigeadh ise a-mach còmhla rinn - an tè dhorcha inntinneach seo, a bha gu bhith na *Mechanical Engineer* am beachd *fan* mòr dhi air an Leideig? Cha robh mi buileach cinnteach.

'An can sinn seachd uairean, a Mhìcheil?' dh'fhaighnich Fiona dhìomsa. An toir sin cothrom dhuibh ur dinnear a ghabhail, a Mhòrag?' Chaidh innse dhi gun toireadh.

'Glan fhèin!' dh'èigh mise, is ruith mi a-mach às a' chidsin mun cluinninn sìon air a chaochladh.

16
Duain

'S ann còmhla rim sheanair a chuir mi seachad a' chuid bu mhotha dhen fheasgar ag ionnsachadh dhuan. Is bu mhath m' aire a bhith air rudeigin cho mionaideach - rud a dh'fheumainn a chur air mo theangaidh - oir mura b' e sin bhithinn air a bhith cho troimh-a-chèile agus nam phlàigh do dhuine ciallach sam bith. Bha mi gu tur air bhiod. Thill Dad dhan leabaidh - an èadhar throm a' fàgail inntinn nas truime 's dòcha?

Seo na rudan a bha gam rothaigeadh.

[A] Fiona a' tighinn gam thogail. Bu thoigh leam i siud. Tha nàdar uabhasach sona, fosgailte aice. Cha chuir sìon cus uallaich oirre - ach tha i sàr chomasach.

Aithnichidh tu sin oirre, mar a dh'aithnicht' ortsa. Duine sam bith a bhiodh nad chuideachd son ùine bheag - bhiodh fios aca gur ann ri boireannach gu math tapaidh a bha iad a' dèiligeadh. Carson a b' fheudar dhut falbh? '*What a waste!*' Chan ann a-mhàin dhuinne ach dhan t-saoghal air fad.

[**B**] Rebecca. Bhiodh ise ann a shin an àiteigin is cinnteach. Chan eil taigh Screwdriver ach tarsainn o thaigh a bhràthar, Iain Eachainn. Bu thoigh leam mar a bhiodh i a' coimhead orm is a' bruidhinn rium mar gum b' fhiach bruidhinn rium, is mar gum b' aithne dhuinn a chèile o chionn fhada.

[**C**] Iain Eachainn is a' Challaig. Cha robh fhios a'm aig an àm, cò ris a bhiodh gnothach na Callaig coltach. Ach bha mi a' faireachdainn gun cuireadh Iain Eachainn a bhlas àraid fhèin air cùisean. Is ged a dh'inns Granaidh na dh'inns i dhomh mu Chlann Eachainn Ruairidh is Dad, bha meas agamsa air. Chunnaic mise taobh eile nach fhaca càch 's dòcha. Agus cò-dhiù nach bu chòir mathanas a thoirt do dhaoine. Thug mise mathanas dhutsa an dèidh nas lugha na sia mìosan.

[D] Dèanamh rudeigin gu tur diofraichte am Barraigh! Na gabh seo san dòigh cheàrr, ach an dèidh dhut a bhith air gach tràigh is tulach airson a' chòigeamh turas is am bùithean Bhàgh a' Chaisteil airson an dà fhicheadamh turas, is an eaglais is an *hall*... Fhios agad dè tha mi a' feuchainn ri ràdh? Ach chan eil mòran air fhàgail nach do rinn thu riamh reimhid. No ma tha, cha robh mise ga shaoilsinn cho *fun* ri dhol a-mach an dubh-dhorchadas na h-oidhche fo stiùir Iain Eachainn. Bhithinn-sa gu tric car aonranach am Barraigh gun agam ach mi fhìn is inbhich.

'Feumaidh gun tug thu an diog às d' athair an-dè am Bhatarsaigh, a Mhìcheil!' thuirt Seanair ann an guth gruamach, còmhnard. '*Good days, bad days*, nach e?' chuir e ris le osna, is leig e e fhèin na shìneadh air an t-sòfa rim thaobh. Bha pasgan làn phàipearan aige na làimh.

'*Birth Certificate* Dhòmhnaill. 4th of September 1963, nach e? A' 5th a bh' ann! 'S e, 's e! Feumaidh gun tug d' athair leis an tè aigesan.'

Cha do dh'amais Seanair air cò-là-breith Dhadaidh innse. Tha fhios agam fhìn glè mhath air a sin co-dhiù. Sin an uair mu dheireadh a leig iad leatsa an t-àite ud fhàgail son greis. Naoi latha mun do dh'fhalbh thu gu buileach.

'*Report card* Ròna ann an Clas 6. Seall seo, a Mhìcheil! *Excellent* air fad. Dh'fhaodadh an nighean ud a bhith air rudan mòra a dhèanamh le a beatha, ach an àite sin, fhuair i ann an *tow* le amadan, is chaidh an còrr leis an t-sruth.' Ròna bhochd, smaoinich mi. Bha daoine gu math trom oirre. Cho fialaidh 's a bha i rinn air Latha na Nollaig. Am b' e an t-amadan Charlie Baxter? No, balach eile nuair a bha i mòran na b' òige? Tòrr agam ri ionnsachadh.

'*Receipt* airson tunna de ghainmhich, dà thunna de mholagan agus dà thunna de *Hard-core*. Chuir e a bhonaid dheth. 'Nuair a bha mi a' togail an starain air beulaibh an taighe. Abair *job*, a Mhìcheil - le spaid is siobhail is druim. Seo iad ma-thà.' Is thog e às pàirt de sheann phad pàipeir. 'S ann buidhe a bha na duilleagan, cho buidhe 's dòcha ri ballaichean an rùim bhuidhe, latha dheth an robh iad!

'Bha fhios a'm gun robh feadhainn eile glèidht' agam ann an àiteigin. Cha d' fhuair Iain Eachainn ach na bloighean a bh' air bàrr mo theanga.'

'S e sgrìobhadh àlainn, cuairteagach, ann an inc car purpaidh a bh' orra.

'Sin mar a bhathar ag ionnsachadh dhuinn an sgoil Bhatarsaigh, am bliadhachan a' Chogaidh, a Mhìcheil. Snog nach eil? "*Grimes*," an t-ainm a bh' air an tidsear a rinn cinnteach gur ann mar seo a sgrìobhadh a h-uile mac màthar againn. Cho *strict* 's a bha e, is cha tug e an t-sràc riamh do dhuine.

Cha ruigeadh e a leas. "*Edward Grimes*" Às Haddington – faisg oirbhse shìos.'

"Seo an oidhche mu dheireadh dhen bhliadhna..." theann mise ri leughadh a-mach air mo shocair. 'Agus,' chuir Seanair a-staigh orm, 'Leig *Mr Grimes* leinn a' Ghàidhlig a bhruidhinn: a-staigh agus a-muigh. Rud nach leigeadh a' bhan-sgoilear olc, is i às an eilean seo fhèin!'

Bha mu shia duain uile gu lèir aig Seanair, is thuirt e gun robh e air an togail aig bodaich na coimhearsnachd, aon bhliadhna is e a-staigh air *leave*. Sgrìobh e a-mach a-rithist iad an dòigh cho grinn. Seo dhà dhen fheadhainn a b' fheàrr a chòrd rium:

Tha mise nochd a' tighinn gur n-ionnsaigh
A dh'ùrachadh dhuibh na Callaig;
Cha ruig mi leas a bhith ga innse,
Bha i ann ri linn mo sheanar.
A' dol deiseal air an fhàrdaich,
A' teàrnadh aig an doras
Duan a ghabhail aig a' chòmhla,

Modhail, eòlach mar a b' aithne.
Mo chaisean Callaig ann am phòca,
'S math an ceò thig às an fhear ud:
Thèid e deiseal air na pàistean
Gu h-àraid air bean an taighe.
Bean an taighe, 's i as fhiach e,
's i làmh-riarachaidh na Callaig.
Tha teirg air tighinn air an dùthaich
Chan eil dùil againn ri drama,
ach rud beag de shochair an t-samhraidh
A' cumail geall air aig an aran.
Fosgailibh an doras is leigibh a-staigh mi.

AGUS

Bha mi là ceòthar ann am bad coille
Chuala mi eilid a' gluasad, langan nam
fiadh sa bheinn àird
Is i a' teàrnadh is ruaig oirre.
Thachair leanabh de thrì bliadhn' deug
rium –
Claidheamh is sgian is breacan-guaille air
"Coat of arms' air a chlaidheamh air a

cheangal gu daingeann, cruaidh air.
'An tusa Alasdair Òg à Gleann Dail?
'S e do char a rinn mo dhùsgadh, chuir thu crith air beinn is air baile is leag thu caisteal led chuid phùdair.
Chuir thu gunna mòr air sorchan gu falbh leat às an dùthaich:
Ghabhadh e punnda slàn de 'fusile', 's e dhèanadh am milleadh far am brùchd e.
A' Challainn bhuidhe bhoicein, buail an craiceann!
Cailleach anns a' chùil, bior na dà shùil
Is cailleach eile an oir an teine, bior na goile a' Challainn seo.

Chaidh Seanair thairis air na faclan leam. Bha feadhainn dhiubh car doirbh is ùr dhomh, me 'teàrnadh=cromadh' 'teirg=gainnead'; 'sorchan=a stand/support'. Cha robh fhios aig Seanair dè idir a bha 'boicean' a' ciallachadh ach ma bha i gu bhith na 'Callainn Bhuidhe Bhoicein', 's e deagh rud a bha sin. Cha b' fhada gus an robh iad agam ma-tà. Mar a tha fhios agad, tha mi fortanach mar sin. Togaidh mi rudan dhen t-seòrsa sin gun cus strì'. Dh'ionnsaich mi treas fear airson an ùine a chur seachad na bu luaithe. Fear na bu ghiorra a' tòiseachadh 'Fìth, fàth, fuath': mar **'fee, foe, fie, fum'?'**

Steak pie a bh' aig Granaidh son dinneir. Dh'fhan Dad san leabaidh far an robh e air a bhith fad an fheasgair.

'An dèanadh dràm feum?' dh'fhaighnich Seanair.

'An rud mu dheireadh a tha a dhìth air!' arsa Granaidh. 'Tha e na dhùsgadh. Ach chan eil e a' tighinn aiste. Fhios agad, a Mhìcheil,' is thionndaidh i thugamsa. 'Bidh mòran ag ithe *Steak pie* air Latha na Bliadhn' Ùire fhèin, ach bhiomaid daonnan ga ghabhail air an oidhche roimhpe – car mun àm seo. Bha mo mhàthair dhen bheachd gun robh còir rud ceart a bhith nar stamagan mun rachamaid a-mach air Challaig. Ach cà' an deach an *crowd* a bhiodh ga h-ithe còmhla rinn?'

'*Right*,' ars ise. Às deaghaidh *custard* is *mixed fruit*. 'Seas ann a shin is cuir a-mach na duain agad dhomh! Na trì dhiubh.'

Rinn mi sin dhi, gun duilgheadas sam bith. Is thug i cudail dhomh. 'Tha thu ait, a Mhìcheil. Nach math gu bheil thu againn!'

'Agus dè,' dh'fhaighnich Seanair, 'a dh'fheumas tu ràdh mum fàg thu an taigh?'

'Gum beannaicheadh Dia
an taigh a th' ann
Eadar chasan agus cheann
Eadar chlach is fhiodh is aol
Slàinte dhaoine gun robh ann
a' Challainn seo
Is guma math am bliadhna
Is guma sheachd fheàrr an
ath bhliadhna!'

'Shin agad e, a bhalaich! Agus ris a' chaillich no am bodach a chuir rud nad phoca?'

'Tapadh leatsa,' arsa mise.

'Chan e,' aig Seanair, 'ach tapadh leibhse!'

17

Ullachadh

Cha b' eagal dhomh, a thaobh Rebecca. Thadhail ise ann an cuideachd Fiona.

'Hiya!' thuirt i rium.

'Hi!' fhreagair mise.

'Bidh thusa faiceallach a-nist,' arsa Dad a bha air èirigh - is air soitheach Pyrex làn *Steak pie* is buntàta a thoirt às an òmhainn is a chur air treidh. 'Cumaidh tusa sùil air, Fiona. Cha robh mise airson...'

'Cumaidh mise sùil air,' arsa Rebecca.

Dh'fhàs mi dearg o m' amhaich suas - mar lasair a' dol tromham is a-mach air mo cheann is a' dèanamh lòchran dhìom.

'Green-belt a th' innte on t-seachdain-sa chaidh,' thuirt Fiona.

'Aidh, aidh!' aig Seanair. ''S tu an nighean, Rebecca. Tha an gille seo làn dhuan Challaig. Fuirich gun cluinn sibh iad!'

Bha aig Fiona ris an càr a ghluasad dhan fhasgadh airson 's gum b' urrainn dhuinn na dorsan fhosgladh gu sàbhailte. Shuidh mi fhìn is Rebecca còmhla sa chùl. Leig i a gualainn an tacsa mo ghàirdein-sa.

''N e T.K.D.[1] no S.A.D.[2] a bh' ann?' dh'fhaighnich i de Fiona.

'Rudeigin mar sin, Becs.'

'Tha i air a bhith cho dona ge-tà - fad na bliadhna.'

'Yippee-Do!'

'Mise dol nam chaillich, a luaidh - is gun mi ach 14!'

Thug mi sùil aithghearr oirre. Doirbh a chreidsinn nach robh an tè seo co-dhiù 16. Chiall, smaoinich mi, tòisichidh iad tràth air obair am Barraigh - agus air bruidhinn air an t-sìde. Ach suarach cho math is a bha i - agus a' dol nas miosa!

1 Tai Kwon Do, of course.

2 Seasonal Affective Disorder: a' bhuaidh aig mìosan de dhroch shìde is cion grèine air do shunnd.

Clachan-meallain a thachair rinn an Tangasdal - feadhainn mhòra thiugha mar *ping-pong balls* - cuid nas motha na mo cheann-sa is mi làn dhìom fhìn!

Thàinig Iain Eachainn a-mach nar coinneamh - gun chòta no sgath air. *Jeans* is *t-shirt* is craos-gàire air aodann.

'Bha mi an dòchas gun tigeadh tu, a Mhìcheil. Cò b' urrainn an dà '*bheauty*' a tha seo a dhiùltadh? Tha fhios gun do chuir iad seo fiù 's Anndra Mhìcheil ann an sunnd. Dè, Fiona?'

''S e Rebecca,' fhreagair ise, 'a thug air 'Samson' socrachadh ge-tà!'

Seo, feumaidh, Seanair - 'Samson'. Nach iongantach na chluinneas tu ann an cuideachd dhaoine eile!

'Tha do phoca-cluasaig agam deiseil, a Mhìcheil,' arsa Iain Eachainn, 'Is tha sannt aig a' chaisean a bhith air a lasadh. Trobhadaibh a-staigh. Tha càch a' feitheamh riut fhèin is Rebecca. Deinear uile-gu-lèir a thrus mi: sianar ghillean is ceathrar nighean.'

Agus nam measg: a' chiad dithis air an do laigh mo shùil, cho luath 's a choisich mi a-staigh air an doras - iadsan: gràisg a' bhàta!

Dh'fheuch mi ri falbh an comhair mo thòine an taobh a thàinig mi. Cha robh seo èibhinn. Robh daoine a' feuchainn ri mo char a thoirt asam, mo ghlacadh ann an ribe a bheireadh spòrs dhaibh san is a dh'fhàgadh mise truagh.

'Stad!' dh'èigh Iain Eachainn.

'Fhuair iad seo cuireadh a dh'aona-ghnothach, leis gu bheil rudeigin aca ri ràdh.'

'Duilich,' arsa Jamie.

'Mise cuideachd,' arsa Davie. '*Is at it noo, Uncle John*?'

'*Better be!*' aigesan. Bha Iain Eachainn cinnteach asta; agus càirdeach dhaibh!

Cha robh mise.

18

Air Challaig

An dèidh do dh'Iain Eachainn mo chur an aithne nam feadhainn eile - uile à Tobh, ach an dithis ud - thug e dhomh mo phoca-cluasaig is sheall e dhuinn An Caisean Callaig. Mar a thuirt Dad 's e rud coltach ri coinneal mhòr a bh' ann le figheachan air aon cheann - sin an ceann a bhiodh tu a' lasadh. Agus mar a mhaoidh Granaidh, bha fàileadh car grod, lobhte dheth. Shàth Iain Eachainn dhan teine e airson sealltainn mar a rachadh a dhèanamh - ged nach robh math dhuinne sin fheuchainn.

'Ach,' arsa mo liagh, 'bidh agaibhse ri innse do chuid dhe na daoine seo na th' aca ri dhèanamh. Chan fhaca iad riamh

e. Ged is e Tobh am baile mu dheireadh san deach 'Molt Callaig' a mharbhadh. O chionn bhliadhnachan a bha siud, gus an do chuir mise a dh'iarraidh 'An Tàcharain' is a sgeinean Diluain sa chaidh! Ach mura bheil a chridhe aig na daoine an caisean a chur dhan teine no dhan stòbh - no mur eil an leithid aca -faodaidh iad a lasadh le maidse no *lighter*. Feumaidh iad an uair sin,' ars esan, 'a chur mun ceann trì turais - deiseal - *clockwise*, eil sibh a' faicinn?' Is rinn e sin - is dh'fhàs aodann gu math trom, gus an robh e air a dhèanamh is leig e anail a-mach le gean beag, laghach.

'Sin e,' ars esan, a' sèideadh às a' chaisen. ''S dòcha gun sàbhail mi a-nist, sa bhliadhna a tha romhainn. Duine agaibh ag iarraidh fheuchainn?' Bha sinn timcheall air sa mhionaid uarach mar sgaoth chuileagan.

'*Right*, socair. Fear mu seach.' Is las e fhèin e is thug e oirnn an rud sleamhainn ud a chur mar cinn mar a rinn e fhèin. Cha deach e às air aon duine againn - rud a bha còir misneachd a thoirt dhuinn airson na bliadhna a bha ri tighinn. Agus is dòcha gum bu chòir. Ach b' fheàrr leamsa gun robh e air mo ghleidheadh o na thachair beagan ùine às a dheaghaidh seo air an oidhche sin.

'Ceart ma-thà! Oirbh ur seacaidean. Bidh mise aig an aghaidh le toirds is bidh Fiona, is Rebecca is dòcha, aig a' chùl?' Ghnog Rebecca a ceann. Ged nach robh an còrr againn mòran na b' òige na i, chan ann còmhla rinne a bhiodh i ach le caraid mòr is *mentor* T.K.D.

'Leanaibh a cheile', chùm Iain Eachainn air. 'Cumaibh goirid dha chèile. Leis mar a tha an t-adhar a-nochd, mur a fuirich sibh nur buidheann, chan fhaic sibh puins.' Rinn mi gàire - a' cuimhneachadh air iomagain Dad is 'Masterchef' ma sgaoil an taigh Granaidh. 'Obraichidh sinn ar rathad a-staigh o cheann a-muigh a' bhaile.'

Bha I.E. cho ceart 's a ghabhadh. Cha robh am boillsgeadh bu lugha ri fhaicinn san iarmailt is gun solais shràidean sam bith, 's ann gu math dall a bha sinn a' coiseachd an aghaidh sìde nan seachd sian - '*horizontal rain*' a' gabhail dhuinn le beannachd gèile forsa 10. Bha mi fliuch mun robh sinn air fichead slat a thoirt a-mach, dithis bhràithrean - Kevin agus Mark - air gach taobh dhìom san aon staid.

'*Bring back "Angry Birds" all is forgiven*,' arsa Kevin.

'*Too right*,' aig Mark. '*Is it Edinburgh you stay. Was there at Dynamic Earth. It's quite a good city*.'

'Hoi!' dh'èigh Iain Eachainn. 'Dè a' Bheurla a tha mise a' cluinntinn air a' Challaig?'

Thòisich e fhèin air leth-èigheachd 'A' Challaig seo, A' Challaig seo, Chall Ò, Chall Ò!' Na dearbh fhaclan a bh' aige air a' fòn rium an latha neònach ud. Lean sinne e, a' *chant*adh còmhla, a' togail ar guthan a' leigeil le na faclan falbh air a' ghaoith.

Bha sinn air a' chiad taigh a ruighinn. 'Deiseal mun taigh cuideachd, Iain?' dh'èigh Fiona on chùl. 'S gann a chluinnte i.

B' fheudar dhi a bhòlaich dà thuras.

'Ma ghabhas e dèanamh!' fhreagair esan. 'Tha còir gum bi am fear seo furasta gu leòr.'

Chaidh sinn a-staigh air a' gheata is theann sinn ri coiseachd, (no caismeachd 's dòcha), timcheall an taighe an aon rathad is a chaidh an caisean - leis a' ghrèin: ach nach robh grian no gealach no rionnag idir ann. Chaidh na *chants* againn na b' àirde mar a bha sinn a' dèanamh ar cuairt is tha cuimhne a'm nuair a bha sinn dìreach gu bhith aig an doras, gun do dh'fhairich mi crith annam - bha mi a' smaointinn aig an àm gur e am fuachd a bh' ann, ach tha mi a-nist a' tuigsinn nach b' e. Bha an t-eagal air tighinn orm ged nach robh adhbhar eagail ann. 'S e spòrs a bha seo còmhla ri clann eile a bha laghach. Bha Fiona is Rebecca faisg is bha làn earbsa agam ann an Iain Eachainn. Is bha mi coma dhen dà mheaban - chan fheuchadh iad mòran am fianais 'Ceannard na Callaig'.

Thòisichear air duan mu seach a ghabhail aig an doras. Lean mise nighean de mu 12 bliadhna - a b' fheudar a ghabhail far pìos-pàipeir (cho fliuch!), ach 's i bha math gu leughadh:

'Oidhche dhomh sa Challaig mar a
b' àbhaist
Thug mi a' chiad sgrìob a thaigh
a' ghàrraidh
Chualas an nighean mhòr a' seinn na
clàrsaich
Fire, faire, Chairistiona
Cà 'n do dh'ionnsaich thu na
puirt-mhara...?'

Cha tug mi leam dheth ach sin fhèin!

Chaidh iarraidh ormsa fear a dhèanamh is chaidh mi ris gu math, saoilidh mi.

"Bha mi latha ceòthar ann am bad coille..."

'S ann an dèidh an fhir sin a dh'fhosgail a' chailleach an doras - 'Nach mi bha a' gabhail fadachd, a Mhic Eachainn Ruairidh?'

ars ise ri Iain. 'Bha dùil a'm nach robh sibh idir a' tighinn. Trobhadaibh a-staigh!'

Dh'fhan Fiona sa phoirds - chan eil fhios a'm carson. Chùm Rebecca roimhpe. Bha e soilleir gum b' aithne dhan t-seann tè a' chùis gu math. Rug i air a' chaisean is stob i dhan teine-ghuail e. Ach mun do chuir i mu a ceann e, bheannaich i i fhèin leis, ag ràdh ann an guth àraid biorach 'An ainm an Athar, is a Mhic is a Spioraid Naoimh. Amen!' Choimhead sinn uile air a chèile. Cha dùraigeadh tu do bheul fhosgladh. 'Duine agaibh,' ars ise, an dòigh beagan na bu nàdarraiche, 'a dh'fheuchas ri seo a chur às orm, bidh rud thugad!' A' bagairt oirnn a bha i, ach le fiamh rosadach na sùil. Rinn i an gnothach gun trioblaid sam bith air na trì is gu dearbha cha deach duine againne faisg oirre. Cha b' eagal do Bhean Ailein à Garbhladh Thobh. 'S ann dhi a rachadh gu math, ach bha rud mì-chofhurtail air tòiseachadh annamsa a bha sìor fhàs na bu mhotha - gun chothrom agam air - is gun fhios a'm, cò às a bha e a' tighinn no cò mu dheidhinn a bha e.

'*Turn* agamsa a-niste,' dh'èigh duine mòr uabhasach ann an *dungarees* a' bruthadh tron doras. Ailean 's dòcha? 'Dhomh an caisean sin, mun cuir sibh droch *luck* air an taigh seo gu Latha Luain.'

Gu fortanach chaidh dha gu math, ge b' e cò bh' ann, is lìon a' chailleach ar pocan-nan-cluasaig le *crisps* is *juice* is aran is tì is siùcar. Adhbhar-toileachais - bha càch air an dòigh, ach cha robh mise. Bha mi ag iarraidh dhachaigh gu Granaidh, Seanair, Dad; thugadsa. Ach cha b' urrainn dhomh sgath a ràdh.

19

Eagal ann no às

Teaghlach òg san dàrna taigh is beagan faothachaidh - pàrantan Khevin, is dithis dhoigealan beaga de pheathraichean aige - *twins* mu chòig a bha dìreach àlainn. Abair gun robh iad sin air am beò-ghlacadh le sùrd nan duan is obair a' chaisein.

"Tha mise a-nochd a' dol gu Callaig
Gille beag nan casan rùisgte.
Chan eil orm ach smachd na h-òige
Is ma bhios mi beò nì mi diùlnach.
Coisnidh mi biadh agus aodach,
Ma gheibh mi saoghal is ùine;
Ge b' e bheir dhomh a' Challaig a-nochd
Guma math thèid a' Bhliadhn' Ùr dha
Fosgailibh an doras is leigibh a-staigh mi."

'S e taigh mòr brèagha ùr a bh' aca - *state of the art kitchen* is sgrionaichean *plasma* air fheadh. Bha coltas air athair Khevin gur dòcha gur e fhèin a thog e. Rudeigin mu dheidhinn nan làmhan ud - cumadh practaigeach orra a ghabhadh cur gu feum an ioma dòigh. Mar fheadhainn Dad, gu ìre, ach nas fhallainne a' coimhead. Chan obraich na làmhan agamsa mar siud gu bràth. Tha fhios a'm air a sin.

Thug iad oirnn uile 'dram' a ghabhail mum falbhadh sinn (le sàr *ghoodies* - tha Mamaidh Khevin gasta!). Chuir athair a-mach 10 glainneachan beaga uisge-bheatha - mu mheud meòirein - is lìon e gum bàrr iad le Irn Bru. B' fheudar dhuinne, mar a thuirt e fhèin, 'an rud air fad a chur air ur ceann!' 'S ann sìos an slugan a chaidh iad, chan ann air ar gruaig!

'Gum beannaicheadh Dia an taigh a th' ann eadar chasan agus cheann...' a ghabh sinn còmhla is gu dearbha bha iad airidh air a leithid - is iad air '*Capri-suns*' is

'*Flame-grilled Cheese + Onion*' fhaighinn a-staigh dhuinn.

'Tapadh leibhse!' arsa mise. 'Airson seo uile.'

Bha dùil a'm gur ann beagan na b' fheàrr a bha mi a' faireachdainn is nach e bha san eagal ach rud a thàinig gu clis is a dh'fhalbhadh a' cheart cho luath. Ach air mo rathad a-mach bhuail fear dhe na bleigeardan annam: Davie.

'*Whit a lovely wee boy,*' arsa esan, cho fanaideach.

Sheall mi a-null ris an fhear eile.

'S e na faclan '*L-o-v-e-l-y wee ping-pong boy,*' a bha a bhilean a' cantail gun fhuaim, uair is uair eile. Bhuail Davie '*gun tùr tunnaig*' annam a-rithist.

Ma bha mìr dhen eagal air falbh, thill e sa bhad. Bha mi air blas a' chrogain a ghabhail dhen t-saoghal a bha seo uile gu lèir. Dh'fhàg thusa sinn, cha mhòr gun rabhadh; bha Dad ann an *trance* (bruaillean an e?) - nuair nach robh e a' rànaich no air ais san leabaidh. Agus seo mise ann am Barraigh gam bhurraidheachd aig dithis ghrànda, ghuireanach air oidhche a bha còir a bhith làn spòrs. Cuideachd, bha an t-sìde sgriosail a' sìor dhol na bu mhiosa - bha agus nàdar Iain Eachainn.

Chuir an treas taigh an caothach air, rud a thug ormsa èigheachd cuideachd. Chan eil fhios a'm, cò às an tàinig mo neart.

Thàinig duine beag mu 55 - feusag gobhair air - chun an dorais ann an sliopairs leathair is seòrsa de ghùn-oidhche air bàrr aodaich. Chithinn tè na b' òige a' cur air dòigh bòrd air a chùlaibh.

'Dè tha seo?' dh'fhaighnich e de dh'Iain Eachainn ann an guth fuar.

'*Left you a note the other day. When you'd returned from Seal Bay and weren't answering the door.*'

'Cha d' fhuair mi sin, tha eagal orm.' Choimhead e air falbh, an taobh a bha am boireannach.

'*The boys here,*' arsa Iain Eachainn, '*are*

taking part in an ancient tradition. You've to let them in and light that thing,' is sheall e dha an caisean an làimh Chaluim John, am fear bu lugha dhinn.

Sheas am boireannach, a bha mu ochd cm na b' àirde na an duine, ri a thaobh. Chan eil fhios a'm carson, ach chithinn air each i nuair a bha i òg. Chuir i a làmh air gualainn an fhir ghreannaich.

'Chan eil fhios a'm cò thu,' ars esan, 'ach tha mìos no dhà gu math *'stressful'* air a bhith agam fhìn is mo *phartner*, is tha sinn cho feumach air seachdain shìtheil air Eilean Bharraigh. *'I'm really sorry...'* thòisich e.

'*You're sorry!* dh'èigh mise. '*Do you want to hear about my stressful last few months? Do you want to meet them? Do you want to meet death face to face? Feel its cold welling from the inside? Watch it slowly slide its way into every part of what you love?'*

Thug a' ghràisg sùil orm làn rudeigin - iargain, iongnaidh, 's dòcha. Dh'fhan càch sàmhach rim thaobh. Dh'fhairich mi làmh ga cur mun cuairt orm - 'Tapadh leat, Fiona,' arsa mise.

''S e do bheatha, a Mhìcheil.' fhreagair Rebecca.

'Mach à seo!' dh'òrdaich Iain Eachainn. 'Leigidh sinn leotha! Daoine laghach gar feitheamh an taigh Sheonaidh a' Mhuilleir.'

Tha mi glè chinnteach gun robh cuideachd. Ach chan fhaca mise riamh iad. Tha mi an dòchas ge-tà, nach fhada gum faic.

20

Gailleann

Tha cuimhn a'm a bhith a' faicinn chàich a' dol romham - cabhag is boil orra air fad. Is chluinninn iad - agus mi fhìn - a' seinn àird ar claiginn - "A' Challaig seo, A' Challaig seo, Chall Ò, Chall Ò". Dh'fhairichinn gàirdean agus ceann Rebecca orm, blàth is bog. Bha coltas brèagha air Fiona chòir a bha a' falbh bìdeag air an taobh shìos dhinn. Shoillsich toirds làidir Iain Eachainn an ceann an t-sreatha an t-slighe tarsainn sliabh Thobh. Is thog a' ghaoth a ghuth-san is rinn i pìosan dheth - a thilg i air feadh an raoin, is shìn mise mo làmh a-mach ach an gabhainn grèim air fear dhe na pìosan

- pìosan guth Iain Eachainn. Ach chaidh am fear ud seachad orm - b' fheudar dhomh ruith às deaghaidh an ath fhear, cho luath 's a bh' agam.

Nam beirinn air pìos, dh'fhaodainn, shaoil mi, ball a dhèanamh dheth agus a chaitheamh air ais thuigesan son 's gum biodh e fhèin is a ghuth slàn a-rithist. Ach nuair a dh'fheuch mi ri breith air - m' anfhadh gus falbh orm - dh'fhaillich e orm, is seach sin, ghabh a' ghaoth grèim ormsa, is thog i a-mach mi, fada às an àite sin is o chàch. Cianail fada! Dh'fheuch mi ri mi fhìn a shaoradh is dh'iarr mi oirre mo chur sìos. Ach dhiùlt i. 'Chan e seo an t-àm do chur sìos, a laochain,' arsa a' ghaoth gharbh.

'Seo an t-àm do chur suas! Cò dh'iarradh a bhith shìos nuair a dh'fhaodadh e a bhith shuas?'

Bha mo chridhe a' dol aig 60 (*cus na bu luaithe tha fhios!*) agus mo chom a' bruthadh a-mach. Boom! Boom! Boom! Dh'fhairich mi mar gum bithinn nam fhallas ach leis an uisge throm, cha dèanainn sin idir a-mach le cinnt. Theannaich mi mo chasan fodham. Shaoil mi is dòcha nan stiùirinn iad sìos gun rachadh agam air mi fhìn a dhraghadh sìos leotha - cudrom a bharrachd a chur annta airson 's gun cuidicheamaid grabhataidh, is airson greiseag bheag bha mi smaointinn gun robh an *strategy* sin ag obair. Nochd guth binn Rebecca nam chluais a' gabhail duan dhomh fhìn a-mhàin.

'Bheil thu a-staigh, a Mhìcheil?

Is cinnteach gu bheil.

Aran air an truinnsear is ìm agad leis...'

Ach chaill a' ghaoth a nàdar is bhàth i briathran Rebecca le a briathran fhèin.

'Oidhche Chullainn, Challainn, Chruaidh
Thàinig mi lem uan ga reic
Thuirt am bodach ann an gruaim
Buailidh mi do cheann air creig
Buailidh mi do cheann air creig
Buailidh mi do cheann air creig...'

Ge b' oil le cais na gaoithe, bha mi a' dèanamh adhartas beag air bheag a dh'ionnsaigh na talmhainn (shaoil mi!), nuair a chuala mi am bùirean aig sgal crosta eile, is chaidh mo thilgeil fada, fada, fada suas - mo chuisleanan ag at nam amhaich. 'Cùm dìreach i!' bha mi a' glaodhaich rium fhìn. 'Dìreach - an amhaich, a Mhìcheil. Dìreach - an amhaich!' Na leigeadh leatha mo chur ann an car-a-mhuiltein. Is nuair a bha an spàirn is an t-strì seo air fàs dìreach ro dhoirbh, chaidh mo phutadh, gun truas, le sgailc an comhair mo chinn, is nuair a bha mi an impis car iargalta a chur dhem cholainn, shad osag mhòr eile mi an rathad eile - an comhair mo chùil, sìos, sìos, is bhuail mi an talamh, air creig? - chan ann ach air cladach? - làn gainmhich a bha e, air mo dhruim dìreach.

Mar a rinn fortan, thill guth Rebecca gus crìoch a chur air a duan.

'Thuirt a' bhean a b' fheàrr na an t-òr
Gum bu chòir mo leigeil a-staigh
Airson na dh'fhoghnadh dhomhs'
de bhiadh
Grèim beag is balgam leis.
Fosgailibh an doras is leigibh a-staigh mi.'

Is nuair a dh'fhosgail mi mo shùilean airson faighinn a-staigh - m' anail fhathast gam dhìth, 's e thusa anns an t-seacaid ioma-dhathte, a chunnaic mi an toiseach. Is phòg thu mi. Is thuirt thu rium ann an Gearmailtis, 'Trobhad a-staigh, a Mhìcheil. Nach tu a rinn siubhal. Nach tu a thàinig air an astar, mo ghille.' Agus thuig mi thu, a h-uile facal.

Is thug thu an uair sin cudail làidir brèagha dhomh, a Mham, is gheall thu dhomh gum biodh cùisean ceart gu leòr bho seo a-mach, is nach fheumainn an còrr dragh a ghabhail.

Agus thàinig Dad is thog e mi a-staigh dhan chàr, is chùm thu sùil fhad 's a bha seo uile a' dol air adhart, ach cha tuirt thu guth. Is ged nach fhaiceadh Dad thu, tha fhios a'm gun do dh'fhairich e do bhlàths - gun robh thu ann cuide rinn.

Bha coltas dìreach aog air I.E. is Fiona - na truaghain. Chithinn deòir a' sileadh sìos gruaidhean Rebecca. Thug thusa air Dad a dhol gu gach duine aca mu seach is a làmhan a chur mun cuairt orra.

'Bidh e taghta,' thuirt e trì trupan. 'Tha Mìcheal allright.'

21

San leabaidh ud

Chùm mi mo shùilean dùinte, ged a dh'fhaodainn a bhith air am fosgladh. Dhèanainn a-mach na guthan - nursaichean an ospadail. Bha iad a' sìor bhruidhinn am measg a chèile, bruidhinn ormsa, is air Dad, is air an teaghlaichean fhèin. Mhìnich an dàrna tè dhan tè eile, cò bh' annainn - gun fheumadh e a bhith gun robh ise eòlach air Ròna. Cha robh. Dòmhnall? Cha robh. Seumas? Cha robh a bharrachd.

'An dòigh,' ars ise 'is aithne dhòmhsa Anndra Mhìcheil, 's e gum biodh e a' cluich *football* còmhla ri Fionnlagh againne. Ach chan fhaca mi sealladh dheth o chionn bhliadhnachan - fear dhen fheadhainn sin. Aig tè Ghearmailteach a tha e pòsta.'

'Chan ann tuilleadh.' Dh'fhaodainn a bhith air a ràdh. 'Dh'eug ise o chionn grunn mhìosan.' Ach cha do bhodraig mi. Bha mo chnàmhan ro ghoirt.

Gu h-obann, thòisich guth fireann is dh'atharraich stoidhl' is blas a' chòmhraidh.

'*A bunch of kids out last night in that weather with John MacLennan from How. Took some kind of a strange turn? Possibly a panic attack? They lost him completely. Found a mile and a half away on the shore.* 'S e an cladach a bh' ann! Cladach m' àigh is mo shàbhalaidh!

Dh'inns an guth fireann dhomh gur esan a bha ag obair an t-seachdain-sa an àite an dotair àbhaistich, is gur ann à Manchester a bha e, is an cuala mi mu Man Utd? Thuirt mi gun cuala 's gum b' fheàrr leam City. Agus dè an t-ainm a bh' orm? Cà' an robh mi fuireach? Thug mi seachad seòladh an taighe is fear Granaidh - chan aithne dhomh am *post code* fhathast! Dh'inns mi dha cuin a rugadh mi is gur e David Cameron am Prìomhaire ach Alex Salmond Prìomh Mhinistear na h-Alba.

Rinn esan gàire ris a sin is thuirt e '*Best not enter into that debate, as I'm only here the week. You're a very bright boy, Michael, and a very lucky one too! We'll continue hourly obs,*' ars esan ris an nurs - an tè a bha eòlach air Dad - '*until he's had his Full British Breakfast.*'

Breacaist? Dè? Dè idir an uair a bha e? Dè an uair a bha e nuair a ghoid a' ghaoth mi?

'Mu dheich uairean,' dhearbh Jamie, a dh'èalaidh a-mach fon leabaidh rim thaobh.

'Shhh!' arsa Davie, 'Thèid ar murt. Here..!'

Chuir e an Ipod aige (am fear as ùire) fom chluasaig. 'Aw ra best big Mìcheal! Mach à seo!'

'Bha fhios a'm gum biodh tu ceart gu leòr,' arsa Dad, a' cur a bheòil faisg air mo chluais. 'Bithidh agus sinne.'

'Bithidh,' arsa mise a' fàsgadh a làimhe-san, 'Rinn a' ghaoth agus Mamaidh sin cinnteach.'

'Rinn gu dearbha,' aigesan. Is bha fhios a'm ged nach robh e idir gam thuigsinn, gun robh e deònach mo chreidsinn.

Dh'fhosgail mi mo shùilean gu grad. 'Ag iarraidh mo dhuain Challaig a chluinntinn?'

'Siuthad ma-thà!'

Chaidh mi ri na trì a dh'ionnsaich Seanair dhomh mar sgian tro ìm.

''S tu am balach!' arsa Dad, gam tharraing dlùth dha. 'Glè bheag a tha ceàrr air do cheann-sa, a Mhìcheil.'

'Ach gu bheil e goirt' arsa mise, 'mar mo cholainn gu lèir.'

22

@namovies

'An toigh leat Brad Pitt?' dh'fhaighnich Rebecca is sinn nar suidhe air sòfa Granaidh a' coimhead film – 'Men in Black' (*gun Bhrad ann!*) air a laptop.

'Bha e math ann am 'Moneyball,' arsa mise, a' lìonadh mo chròig, is a' cur a-null a' Phopcorn (liut Fiona le microwaves!).

'Bha,' dh'aontaich Rebecca, 'ma bheir *baseball* air do chridhe leum! An toir ortsa, Mhìcheil?'

Thug mo bheul làn dhomh cothrom smaointinn air freagairt. Ach cha tàinig tè buileach ceart is mar sin, lìon mi a-rithist

e. Thog mi guthan Will Smith is Tommy Lee Jones mìr beag is shlaod mi gob a' *bhaseball cap*, a bha Rebecca air a thoirt thugam. Abair thusa *cool! Totally!*

'Carson a tha thusa cho uabhasach fhèin luath gu ruith, a Mhìcheil?' dh'fhaighnich i an uair sin. Choimhead mi oirre. Chithinn aodann a bha cho onarach 's a ghabhadh.

'Sgil feumail,' thuirt mi, 'ma dh'fheumas tu gluasad bho aon àite gu àite eile.'

'Chan fhaca mise ria...' thòisich i. Las a sùilean. 'Dèan am Barrathon! As t-samhradh. Bhiodh tusa timcheall an eilein mun ruigeadh an còrr Baile na Creige.' Shir is lorg i corragan mo làimh-sa leis an fheadhainn aicese.

'Ro òg,' fhreagair mi. '17 a dh'fheumas tu a bhith.'

'Oh? Ok, nì sinn Beinn Heabhal còmhla!'

'Nì ma-thà!'

Agus tha dùil a'm, a Mham, gun cùm Rebecca ri a gealladh, agus gum bi an dithis againn agus deannan eile a' rèiseadh bhon

Square gu mullach na beinne air a' chiad Disathairne dhen ath mhìos. Tha Fiona air a dhèanamh uair no dhà a cheana. Tha Dad fiu's a' bruidhinn air fheuchainn.

Cha dèan am-bliadhna! Ged a tha e air tòrr mòr rudan ùra matha a dhèanamh, is nì e tuilleadh. Leigidh cion na sàmhchair leis. Bha an sgòth mhòr dhubh sin air falbh a' mhionaid a dhùisg mi an dèidh na 'tubaist'. Bha fhios a'm air sin. Dh'fhairich mi an t-atharrachadh ann an grèim is ann am bruidhinn is ann an sùilean Dad. Cha do thill an sgòth ann an taigh Granaidh na bu mhotha – 'Ò, mo mhacan caomh. Tha mo mhacan slàn' – no ann an Dùn Èideann, is cha till. Chuir thusa is a' ghaoth ruaig oirre. Chan fhuilingeadh i smior nan duan Callaig. Sheas Dad eadar i is a rùn: gu daingeann.

'Spaghetti Carbonara a-nochd!' Cha dèan math dhomh toirt air èigheachd airson an dàrna turais. Mar sin, cuiridh mi crìoch air seo an-dràsta. Tha fhios gun sgrìobh mi tuilleadh, a chionn 's tha e air còrdadh rium gu mòr, ach bidh e diofraichte. Tha mi a' smaointinn gun ceannaich mi *pad* no leabhar ùr, is gun glèidh mi am fear seo mar a tha e, gun an còrr a chur ris. Cumaidh mi e sa bhogsa còmhla ri na rudan eile leatsa a thagh is a chruinnich sinn còmhla - ma tha sin ok? Bidh e ok! Ò, blip eile... Bheir mi sùil gu math cliobhair air iPod glic mo charaid! Dà bhrath WhatsApp ùr.

'Bidh 'Snow Patrol' an Dùn Èideann air 24 Aug. Thusa is am bodach ag iarraidh a dhol ann? Bidh Fiona a-bhos co-dhiù. Cheers. I.E.

P.S. Tha an tè ud eile air a' Bheinn a h-uile dàrnacha latha. *Watch out!'*

AGUS

'Mura tig thusa a-nuas an staidhre gud dhinnear, mun cunntais mi gu deich...!'

Oops! Bye, Mham. Gaol gu bràth. Mìcheal.